Tu ne sauras jamais combien je t'aime

Daniel Prévost

Tu ne sauras jamais combien je t'aime

ROMAN

Vous pouvez consulter notre catalogue général
et l'annonce de nos prochaines parutions sur notre site :
www.cherche-midi.com

Coordination éditoriale : Delphine Roché

Couverture : Mickaël Cunha

© **le cherche midi, 2018**
30, place d'Italie
75013 Paris

Mis en pages par DV Arts Graphiques à La Rochelle
Dépôt légal : avril 2018
ISBN 978-2-7491-0970-1

L e soir tombe sur la Catalogne. Il tombe sur les Pyrénées, à la frontière de l'Espagne, sur les chemins des bergers. Il tombe par-delà la Méditerranée, sur le Maroc, la Tunisie, sur l'Algérie, sur la Kabylie, étouffante dans la chaleur de l'été. Il tombe dans les Aurès. Partout où le monde semble fatigué, épuisé par ce jour qui finit, le soir tombe. Bien des humains ne bénéficient pas du repos qu'il apporte avec lui. Mais le soir ne le sait pas. Et peut-être n'en a-t-il rien à faire ? Est-il à même de penser, le soir ? A-t-il quelque conscience ? Peu lui importe. Il fait son travail ; il tombe. Aucun compte à rendre. Si on lui demandait : « Pourquoi tombes-tu ? » Sa réponse serait directe, ponctuelle, et de saison : « Nous sommes en juillet. Il est 21 heures. L'heure, c'est l'heure ! En septembre, vous me verrez tomber plus tôt. Et encore, si je le veux bien ! »

Le soir a raison.

Et puisqu'il tombe doucement sur ma vie, j'ai décidé d'ouvrir la porte de mon jardin secret et de mes rêves intimes.

La rencontre

Il s'appelle Federico García Lorca.
C'est la fin de l'année scolaire. J'ignore alors tout de sa poésie. Seul son nom résonne à mes oreilles.

Dans la lumière de l'été – dont les rayons du soleil éclairent les murs sales de notre classe –, M. Nieto, notre professeur d'espagnol, nous raconte l'histoire de ce poète, mort en 1936, à Grenade, sa ville. Federico García Lorca s'éteint à trente et un ans, fusillé. Fusillé mais jamais oublié...

Ses derniers instants sont gravés dans les mots d'un autre poète, Antonio Machado, mort en exil à Collioure, aux côtés de sa vieille mère.

« On l'avait vu, cheminant entre des fusils,
Par une longue rue [...]
Sur une fontaine où l'eau gémira
et dira éternellement :
le crime eut lieu à Grenade, sa Grenade[1] ! »

---

1. Antonio Machado, « Le crime », in Federico García Lorca, *Chansons gitanes et poèmes*, Pierre Seghers, 1964.

M. Nieto nous raconte que Federico marcha vers la mort.

Marcher vers la mort... C'est l'aube. Les dernières étoiles scintillent faiblement dans le ciel du matin. Federico tombe sous les balles de ses bourreaux. Aucun n'ose le regarder en face...

Je m'interroge et j'écris à nouveau : « Il marcha vers la mort. »

Je voudrais effacer cette phrase, écrire à la place : « Marcher vers la vie... »

Jusqu'à ce jour, jamais je n'avais imaginé que l'on pût tuer, assassiner un poète.

Le mot « fusil » me terrorise. Il semble incompatible avec celui de « poète ». Si, pour un poète, la poésie, « c'est ce que devrait être la vie », le mot « vie » est, lui, inconciliable avec « fusil », qui apporte la mort. Celle de *l'autre.*

Tandis que M. Nieto nous fait son récit, un lourd silence s'installe jusqu'à la fin du cours parmi les trente-trois élèves. Nous sortons de la classe puis traversons la grande cour de récréation en chuchotant...

Comment reprendre une conversation après la mort d'un poète, d'un homme, d'une femme, d'un enfant, de tout être humain ?

Et comment parler après la mort d'un être aimé ?

La déchirure

L a vie ne devait jamais s'arrêter.
La mort, nous ne l'avions jamais évoquée !
Nous étions sur cette terre.
Nous devions y rester.

Le temps est venu de raconter ce qui s'est passé.
Du moins tenter d'expliquer l'inexplicable, l'imprévisible.
Comment dire l'indescriptible désarroi qui s'empara de
moi quand Kirsten disparut brutalement ? Je fus anéanti.
Je devins désespéré. Je pensais naïvement que nous
vivrions cent ans ensemble. Hélas, j'avais vu trop loin.
La vie, c'était notre cadeau de bienvenue au *monde*. C'était
simple, c'était clair. Quarante-trois ans d'union prirent fin.
Pourtant nous n'étions pas égoïstes. N'avions-nous pas
rendu ce cadeau au *monde* en lui offrant un enfant, Jonathan !
La vie de Kirsten elle-même était un cadeau fait au
monde. Plus d'une fois, je me suis rendu compte qu'elle repré-
sentait tout l'amour du *monde*. J'ai écrit quatre fois le mot
« monde »... Je n'en effacerai aucun. Sinon, je me trahirais.

Je me retrouve seul. Seul dans une grande maison,
avec ma chienne, Patoche, mon setter irlandais si affectueux

qui ne cesse de me regarder. Pendant plusieurs jours, elle entre dans notre chambre, va vers le lit, du côté où Kirsten avait coutume de dormir, et ressort de la pièce avec cette mine triste que je suis seul à remarquer. Puis elle cesse de monter à l'étage. Elle aussi est désespérée, j'en suis sûr.

Lorsqu'on m'apprend la nouvelle, je répète ces mots : « Morte ? Non, ce n'est pas possible ! Non, ce n'est pas possible ! »

Hagard... *Ce n'est pas possible.* Je vis un cauchemar. Je vais me réveiller. Seulement, le cauchemar s'accroche à moi.

Les jours qui suivent, seul dans notre maison, je hurle sur cet amas de ruines autour de moi.

Je comprends que ma vie entre dans un long tunnel.

Le soir, j'essaie d'écrire, de lui écrire. Sur mon ordinateur, je tape : « KIRSTEN, TU ME MANQUES TERRIBLE-MENT. » Puis j'efface ce « tu me manques terriblement » et laisse juste son prénom suspendu dans la page blanche de l'écran : « KIRSTEN ».

Je ne dors plus dans notre chambre. Je la ferme à clef. Comme ça, le malheur ne pourra plus jamais en sortir. Plus jamais. Je m'installe dans celle réservée aux amis. Au matin, je descends l'escalier en criant son nom : « Kirsten ! »

Je suis conscient qu'elle ne reviendra plus. Et comme je ne sais pas prier...

D'ailleurs, prier qui ? Si je savais prier, je dirais de suite : « Rendez-moi Kirsten. Je ne demande rien d'autre. Elle est tout pour moi ! »

Puis j'essaie d'être raisonnable – un effort surhumain pour moi.

Je rumine des pensées, des points de vue : après tout, c'est un chagrin ordinaire, chaque être humain est passé par là, moi-même n'ai-je pas déjà éprouvé des deuils dans ma famille, parmi mes proches, ma grand-mère, mon «petit cousin» Serge ou, dans ma belle-famille, le père et la mère de Kirsten? Et tous ces morts autour, tous les morts du monde que je ne connais pas? C'est trop! J'arrête.

Non! Pas elle, pas Kirsten!

Pas besoin d'être raisonnable. Cela ne m'est d'aucun secours.

Dans des moments de colère désespérée, je lui reproche son absence:

«Depuis que tu m'as quitté, je ne sais plus comment vivre. Que vais-je faire sans toi, Kirsten? Dîner seul, comme un con, devant ton assiette vide? Attendre des réponses aux questions que je ne poserai plus? Ne plus pouvoir dire: "T'as de beaux yeux, tu sais!"? À chaque fois, tu me remerciais de cette phrase d'un sourire, ton sourire... Répondre sans arrêt au téléphone: "Merci, c'est gentil d'avoir pensé à moi..."? Répéter cent fois: "Oui, c'est dur, c'est très dur!"? Ce que mes amis me disent? "Il faut laisser passer le temps." Eh bien non, je ne peux pas! Je ne peux pas ET ne veux pas!»

Comme cette phrase soupirée par une employée des pompes funèbres: «La première année est la plus difficile!» J'ai envie de vomir.

C'est donc ça, une famille éclatée? J'en fais l'amer constat.

Une mère, un père, un enfant et, tout à coup, un père et un enfant. Jonathan et moi.

L'abandon

Je suis brutalement renvoyé dans les affres de ma jeunesse, où l'idée d'une famille unie n'a alors aucun sens pour moi.

J'ai douze ans.

Je suis l'enfant d'une mère célibataire.

Autour de moi, le mot «bâtard»...

Jusqu'au jour où il s'efface de ma mémoire. Ma mère vient de rencontrer un homme. Il devient mon père adoptif. Il s'appelle Robert.

Où a-t-elle fait sa connaissance? À Vincennes. Dans une imprimerie où elle travaille comme secrétaire. L'imprimerie n'existe plus depuis. Le magasin Speedy la remplace.

Cet homme est conducteur d'une presse offset. Il est d'une force physique impressionnante. Je le vois encore déposer de lourdes rames de papier sur la machine, une carrure de lutteur de Foire du Trône ou des Grands Boulevards de Paris, où ma grand-mère m'emmenait parfois me promener le jeudi... Dans sa jeunesse, Robert pratique la boxe. Au cours d'un entraînement, un coup de poing anonyme lui écrase son nez pour toujours. Cloison nasale déviée.

La vérité est qu'il m'effraie dès notre première rencontre. Ça ne cessera jamais. Je veux dire : cette peur. Je la traînerai tout au long de ma vie. Prend-elle son origine au contact de Robert ? Je n'arrive pas à savoir vraiment. Je fais le lien. Certains jours, cela m'apparaît comme évident...

Parmi les ouvriers de cette imprimerie, Armand est manœuvre. Il effectue des travaux pénibles, harassants. Pendant la Seconde Guerre mondiale, il a été prisonnier en Pologne et est revenu avec une femme, une gentille Polonaise. Ils sont d'une grande bienveillance envers moi. La salopette de travail d'Armand est bleue, comme celle de Robert. Je pense souvent que celle d'Armand est plus propre que celle de Robert, *l'intrus*. C'est comme ça : je fais des différences sur tout, par vengeance, et par jalousie. Parfois, je vais chercher ma mère à la sortie de son travail, à 18 heures. Armand me dit alors : « Au revoir, mon petit. »

Sa femme, quand elle retrouve Armand en fin de journée, me fait sourire dès que je la rencontre, en roulant les *r* : « Bonjourrr, Daniel »... Elle me donne parfois un bonbon. Qu'est devenue sa famille restée en Pologne ? Impossible de se rappeler son prénom. Je le voudrais.

Ma mère se marie. Ce jour-là, elle me prévient :
« Pas la peine de venir à la mairie où l'on se marie, Robert et moi ! Tu vas t'ennuyer. Reste à la maison. Attends-nous. Ça ne durera pas longtemps. Le maire va juste me poser la question : "Mademoiselle Micheline Chevalier, voulez-vous prendre pour époux M. Robert Prévost, ici présent ?" Je répondrai oui ! »

Je la vois jouer tous les personnages du mariage, en prenant une voix plus grave lorsqu'elle imite les hommes.

« Et Robert, tu sais, il répondra la même chose. Le maire va lui dire : "Monsieur Robert Prévost, acceptez-vous de prendre Mlle Micheline Chevalier pour épouse et adopter le jeune Daniel Chevalier, son enfant ?" Tu vois, ça ne va pas durer longtemps. Après, tu auras un vrai père ! Comme tes camarades de classe. »

Avoir un vrai père à douze ans, il était temps.

Elle ne me demande pas si cela me réjouit. Ma réponse serait négative. Sans hésitation.

C'est l'après-midi de la cérémonie. Mes tantes Geneviève et Suzanne et Mme B., ma bienveillante directrice d'école, sont là, tout comme mon nouvel oncle, René, frère cadet de Robert, et ma nouvelle tante, Jeanine. Nous sommes dans le petit logement d'une pièce et demie que le patron de ma mère lui a prêté... à condition qu'elle travaille pour lui gratuitement le samedi matin, en plus de la semaine bien sûr. Comme ça, pas de loyer mensuel à payer. L'habitation de ma mère et de Robert est située dans un très vieil immeuble, d'un accès étroit, passage du Buisson-Saint-Louis.

À l'occasion de ce jour mémorable, il y a sûrement un peu de mousseux. Les verres tintent. Soudain un invité, dans l'assemblée, dit d'une voix forte :

« Aux mariés et à leur bonheur ! »

Je me souviens de quelqu'un qui ajoute :

« Ils ont déjà un enfant ! »

J'entends la phrase. Les rires qui s'ensuivent... Et je m'interroge : de quel enfant parlent-ils ? De moi ? Ces mots font mal... Puis, dans la conversation, on évoque l'absence de ma grand-mère.

« Oh !, fait ma mère, pas la peine qu'elle vienne ! Elle a du mal à marcher. »

Ma tante Geneviève confie :

« Après ce qu'elle nous a fait, à Marcel et moi ! Elle aurait encore fait des histoires. Elle croit toujours qu'on lui a volé sa cocotte en fonte. Hein, Marcel ?

— Tu parles ! » répond-il.

Alors, une voix fluette, la mienne, ose exprimer son avis devant ce parterre d'adultes :

« Elle aurait quand même pu venir, grand-mère. Moi, je l'aime bien. »

Ricanements dans l'assemblée.

« Bien sûr, dit ma mère. Regarde, Daniel, on n'a pas beaucoup de place ! On est serrés comme dans le métro ici ! Heureusement, Mme B. est bien installée ! Vous êtes bien là, près de la fenêtre, n'est-ce pas ?

— Oh oui ! Ne vous inquiétez pas pour moi.

— Encore du mousseux ? » propose Robert aux femmes.

J'insiste :

« Grand-mère, elle aime bien le mousseux, elle ! »

Ma mère tente de changer de conversation :

« Reprends du gâteau, Daniel, il est très bon ! »

Je prends une part du gâteau au chocolat.

« Ce gâteau-là, elle l'aime bien aussi, grand-mère ! »

Robert intervient :

« Ça va avec ta grand-mère, Daniel. Elle ne va pas tomber malade parce qu'elle a pas bu sa coupe de mousseux ni mangé une part de gâteau. Tiens, ce soir, t'as qu'à lui en apporter une. Elle sera contente. D'accord ? »

Si j'avais pu lui foutre le reste de gâteau au chocolat dans la gueule ! Dans son gros pif de boxeur. J'vais te la redresser ta cloison, moi !...

Je ne dis plus un mot jusqu'à mon départ. Je me rends dans l'autre pièce, celle qui me sert de chambre. Je tends l'oreille. Une voix féminine chuchote :

« C'est un enfant, ce n'est pas bien grave... »

Une autre ajoute :

« C'est normal, c'est sa grand-mère, quand même. »

Puis les invités de la noce prennent congé en renouvelant leurs vœux de bonheur aux jeunes mariés et à moi, « leur » enfant.

Je ne dis rien. Mais, à force de mordre ma langue, elle se met à saigner.

L'ai-je rêvé, cet après-midi de mariage ? Les souvenirs se mélangent.
Non ! Ma mère s'est mariée. Et je suis son fils. *Leur fils !*
Mais lui, ce Robert, impossible qu'il soit mon père. Les enfants de mon âge appellent leur père « papa ». Pas moi. Ma seule certitude. Jamais je ne l'appellerai « papa ».
Ma grand-mère me conseille : « Tu ne t'assieds pas sur ses genoux et tu ne l'appelles pas "papa" ! »

Le jour du mariage, je n'ai d'yeux que pour René et Jeanine. Je les ai rencontrés la première fois chez eux, lors de la présentation officielle de la fiancée de Robert, ma mère. D'emblée, j'ai ressenti leurs regards bienveillants. À l'époque, ils habitent rue Le Dantec, vers la place d'Italie, un petit appartement de trois pièces avec baignoire et chauffage central, au troisième étage avec ascenseur. Quelque temps après, nous sommes à nouveau invités chez eux. Ils me proposent de prendre un bain. J'accepte avec joie. Dès ce jour, je pense que, si ma mère ne s'était pas mariée avec Robert, j'aurais adopté son frère, René, comme père. Sans hésitation...

Dans mon souvenir, seule ma grand-mère est absente ce jour-là. En fait, je ne sais plus. En fin de journée, je prends seul le métro en direction de Vincennes, où elle vit. Je m'en souviens : il fait encore jour. Nous sommes au mois de mai. Je traverse le bois de Vincennes avant que la nuit tombe. Aujourd'hui encore, j'ai cette sensation : il suffirait de remonter la rue du Faubourg-du-Temple, prendre le métro Belleville, changer de ligne jusqu'au château de Vincennes, marcher jusqu'à la rue des Trois-Territoires puis prendre l'ascenseur jusqu'au deuxième étage, et la porte de ma grand-mère sera ouverte. Elle aurait mis le couvert pour nous deux. La soirée s'annoncerait belle avec, au programme, crochet radiophonique en compagnie des vedettes de l'époque ou partie de dominos. Ma grand-mère aimait tricher à ce jeu. Quand, à la fin, nous comptions les points restants, elle sortait le double-six de sa blouse en disant d'un air faussement naïf : « Tiens ! Qu'est-ce qu'il fait là, celui-là ? »

Elle avait perdu la partie. Mais c'est ainsi : nous nous amusions tous les deux de sa tricherie.

Jusqu'à la cérémonie, j'habite chez elle avec ma mère. On tient dans un petit deux-pièces, avec chauffage central également. Du poste de radio se déversent les jeux animés par Zappy Max.

À quinze ans, je suis choisi parmi des candidats à un crochet radiophonique organisé par Radio Luxembourg. Je chante une chanson de Robert Marcy, « File la laine », en m'accompagnant à la guitare. Un camarade m'a appris six accords dont je me souviens encore : *mi* mineur, on continue avec l'accord de *la* mineur, on enchaîne avec l'accord *sol* majeur barré, qui tord la main, suivi d'un *mi* majeur, d'un *la* mineur et *si* septième, et le magistral *do* majeur, mon préféré. Je ne gagne pas mais suis fier. Un des juges du concours dit de moi que je joue de la guitare avec intelligence... Oui, je suis très fier. C'est la première fois que j'entends le mot « intelligence » à mon sujet. C'est, je crois, ma première apparition sur scène, dans une grande salle à Paris... L'époque de Marcel Faure, de Jean-Jacques Vital, des chanteuses comme Lucienne Boyer ou Lucienne Delyle, qui me fait frissonner quand elle chante : « Jambalaya, crient les Indiens qui se rassemblent. Jambalaya, crie le sorcier qui s'élance. » Mon enfance se réfugie dans ces chansons dont le sens m'échappe.

Plus tard, je prends connaissance du massacre de ces Indiens par le général Custer et d'autres «Américains». J'apprends ainsi l'histoire petit à petit, avec Luis Mariano, Georges Guétary ou André Claveau (dont le «petit train s'en va dans la campagne[1]»), Patrice et Mario, duettistes qui font remarquer que «la lune se lève ; va, mon ami, va ; la lune s'en va[2]»... Toute ma culture musicale !

Je suis heureux chez ma grand-mère et ma mère.

Oui, on est heureux tous les trois.

Jusqu'au jour où ma mère, célibataire, fait la connaissance de celui que j'appellerai plus tard «l'intrus». Alors elle ne revient plus tous les soirs de son travail.

À l'heure du dîner, ma grand-mère me dit :

«On mange tous les deux ce soir, coco. Micheline arrive plus tard. Ou demain matin...»

Je suis face à un dangereux concurrent. Cette partie d'affection se joue entre cet homme et ma mère. Je suis hors jeu. Tout est perdu d'avance.

Je souffre de cet abandon. Un double abandon. Je me promets de ne jamais infliger pareil chagrin à l'enfant que j'aurai un jour.

Je suis un enfant bancal, un gamin inachevé. Je suis montré du doigt par mes «camarades de classe». Je ne me fais pas d'illusion sur leur condescendance pseudo-amicale, avec leur «Allez, viens jouer... Viens avec nous !». Ce «nous» me fait comprendre ma réelle solitude...

---

1. André Claveau, «Le petit train»; paroles et musique de Marc Fontenoy, 1952.
2. Patrice et Mario, «Va, mon ami, va»; paroles de Jean Maurice et Raymond Legrand, 1950.

Le vide

Pour cette raison, j'offre à mon fils un cadre familial chaleureux, aimant, uni. Rien que lui, Kirsten et moi. À la disparition de Kirsten, c'est tout un monde, notre monde, qui a dû se reconstruire.

Comment faire ? Jonathan a certes fondé sa propre famille. Sa femme, Isabelle, et lui sont mariés depuis deux ans et vivent leur propre vie, indépendants. Jonathan écrit dans un journal dont j'ai oublié le nom ; Isabelle est traductrice d'anglais pour plusieurs sociétés. Les cheveux de Jonathan sont blonds comme ceux de sa mère ; il en a aussi les yeux bleus. Tous deux sont pleins d'amour et d'attention. Ils passent remplir le Frigidaire devenu trop grand, qui ne désemplit pas : je mange si peu depuis. D'ailleurs, tout est trop grand pour moi : le Frigidaire, ma maison, et le temps, qui passe lentement. Je comprends trop tard quelle place Kirsten occupait dans ma vie. Je vis avec la sensation permanente, si douloureuse, qu'il me manque un bras. Avec la moitié du cœur arrachée.

J'ai connu cette sensation d'un bras en moins quand j'ignorais autrefois qui était mon vrai père...

Entre Jonathan et moi, le dialogue se résume à quelques phrases :

«Isabelle te ramène ton linge repassé demain. Tu as encore des chemises ?

— Je ne sais pas. Regarde dans l'armoire...

— Papa, je voudrais te dire... Isabelle et moi, on est comme toi, on se sent très mal... »

Je le serre dans mes bras plus fort que d'habitude.

«Je sais. On est tous très mal. »

Le matin de cette visite, il remarque l'ordinateur de mon bureau avec le prénom de Kirsten sur l'écran.

« Tu l'as laissé allumé toute la nuit ?

— Oui, ça me tient compagnie. Je dors peu, tu sais... »

J'ajoute :

« Et pour Isabelle ? Son médecin a dit quoi ? C'est confirmé ?

— Oui, papa. Ce sera un garçon. »

Après un silence, j'ai beaucoup de mal à dire :

« Ta mère ne le verra jamais... »

Il m'est impossible d'écrire aujourd'hui au sujet de Kirsten. Toutes les images de cette terrible période restent dans mon crâne. Elles n'en sortent pas. À moins qu'un jour...

Je dois raconter qui elle était. Nul ne doit oublier son existence, sa vie, son amour de la vie et des autres, nul ne doit oublier son altruisme, son empathie.

Tout commence côté nord. Kirsten est suédoise, de Stockholm. Une rencontre dans cette ville, à l'Institut français, scelle notre destin commun. On organise une réception pour le groupe de jeunes gens invités à jouer en français une pièce de Molière, *Le Malade imaginaire*, à l'occasion du centenaire d'un grand hôtel. J'en fais partie.

Kirsten décide de me suivre. Elle arrête de futures études brillantes pour venir à mes côtés dans la jungle de Paris. Elle devient sa vie durant mon garde-fou. En écrivant ces mots, j'ai l'impression d'entendre des ricanements. Étouffons-les.

En conclusion ? Je suis seul. Devant moi, un gouffre, un précipice de la hauteur des falaises d'Étretat, et je n'ai pas le courage de m'y jeter.

Je n'imagine aucune rencontre pour combler ce vide affectif depuis ce jour maudit entre tous. Non, aucune rencontre.

Si ce n'est que le destin va en décider autrement.

À cette période, je tourne un téléfilm. Mon personnage est taillé pour moi : un homme qui se croit bien intégré dans une ville mais qu'une rumeur imbécile va pousser au suicide. Avant ce geste fatal, le spectateur comprend qu'il est algérien. Dans cette ville mesquine, les habitants le renvoient, par des sous-entendus, à ses origines. Ce sont les miennes. Le rapprochement est évident ! Un homme politique l'a parfaitement exprimé : « Le monstre ressurgit toujours des égouts de l'histoire. »

Kirsten lit les scénarios que l'on m'adresse. Elle me signale celui-ci :

« Joue ce personnage, Daniel. Il le faut... »

J'entends encore sa voix, sa douceur.

Kirsten m'accompagne sur le tournage. Discrète mais vigilante. Toujours une conduite irréprochable.

Un matin, dans cette ville du Nord où je tourne, je lui dis au revoir sur le pas de porte de l'hôtel où nous logeons avec l'équipe d'acteurs et de techniciens.

« Tu me rejoins à midi, d'accord ? On déjeunera à la cantine. »

Et je l'embrasse.
« J'ai très mal dormi. »
Sa dernière phrase, ses derniers mots. Des mots que je ne peux oublier.

Me reviennent ces vers du poète Wystan Hugh Auden[1] :

« Arrête toutes les horloges, coupe le téléphone, [...] Fais taire les pianos [...]. »

Et ceux-là encore :

« Je pensais que l'amour durerait pour toujours : j'avais tort. »

Ce poème, c'est comme si je l'avais écrit. Oui, si j'avais pu « emballe[r] la lune et démonte[r] le soleil », dans ces instants, je l'aurais fait.

J'adresse à Kirsten plusieurs SMS pendant la matinée. Ils restent sans réponse. Je m'inquiète. Puis on m'annonce la nouvelle vers 14 heures. On m'emmène à l'hôtel. Je ne peux en dire plus, raconter la fin de journée ou quoi que ce soit. Pas envie. Mes mains tremblent à l'évocation de ce jour.

Je veux qu'elle revienne. Tant et tant que je décide de lui écrire un poème afin de lui montrer à quel point je l'aime et combien je souffre. C'est inutile. Qu'importe.
Qu'est-ce ? Une lettre d'amour ? Un message ? Non, plutôt un faire-part qui commence par :

1. Wystan Hugh Auden, *Dis-moi la vérité sur l'amour*, Points, 2009.

« Quand les mots n'ont plus aucun sens,
Même si on les tourne dans tous les sens,
L'amour, la mort n'ont plus d'importance.
Quand on se retrouve terriblement seul,
Seul dans l'univers qui se joue de nous,
Qui se rit de nous et même à genoux,
Nous crions sans cesse nous crions toujours
Et nul ne répond : il n'y a plus d'amour. »

Est-ce nul ? Peut-être. En tout cas, moi, je me sens nul. Mais je n'ai pas honte.
   Alors je continue d'écrire. Rien ne peut m'arrêter. Qui pourrait se permettre de me juger ? J'ai la force ; je puise dans ce qui me reste d'énergie. Il n'y aura pas de censure. Vous ne pouvez pas arrêter des mots qui se déversent comme un ruisseau d'amour... qui finit par se tarir aux derniers vers du poème :

« Nos oreilles saignent et nous sommes sourds,
Nous ne parlerons plus jamais d'amour.
J'écoute la colère de mon cœur qui gronde.
Je n'ai plus la force d'insulter le monde. »

Ma rencontre avec Kirsten a eu lieu. Par l'esprit. Malgré ma confusion mentale, je le sais. Une preuve d'amour demeure entre toutes celles possibles : ce poème offert dont les mots volent vers son étoile.

Le tournage du film s'achève. Pas un seul souvenir heureux. Aucun.
   Me voici devenu un acteur veuf. Je ne m'habitue pas à ce terme, ne le supporte pas. Je ferme à tout jamais ma vie affective. Et continue péniblement de vivre. C'est à ça que revient la vie. Vie, mort, naissance. Depuis la

nuit des temps. J'ai rejoint le bataillon des veuves et des veufs. Vivre, ce sera raconter nos vies et nos morts, échanger nos numéros de téléphone, nos adresses mail, des photos des défunts, sans oublier la commémoration des disparitions... Nous nous soutiendrons comme nous pourrons.

Non. Pas question. Je vais lutter. Seulement je suis le plus faible des faibles, et cette faiblesse m'accable. Elle s'est emparée de moi, elle va avoir raison de moi. Je vais finir par rejoindre Kirsten, qui m'attend.

Mais l'Espagne apparaît à nouveau dans ma vie sous une forme imprévue...

Une jeune femme brune travaille sur la production du film. Je l'ai déjà croisée. Je sympathise avec elle autour d'une machine à café, entre deux prises de vues, en parlant du temps, de la météo capricieuse. Un silence entre nous. Elle est triste. Un deuil récent est survenu dans sa famille. Sa sœur aînée est décédée un mois auparavant. Je compatis. Son deuil me renvoie au mien. Timidement, je lui demande son prénom.

« Muriel.

— C'est très joli, ça vous va bien.

— Je n'aime pas mon prénom. »

Là, impossible d'enchaîner par un : « Moi, c'est Daniel. Je ne vous apprends rien : vous avez lu mes feuilles de paye. »

C'est pourtant ce que je fais :

« Moi, c'est Daniel. Je ne vous apprends rien : vous avez lu mes feuilles de paye. »

Aucune réaction. Elle continue de remuer avec une petite cuillère en plastique son café chaud, et mauvais. Une manière de garder contenance, sans doute. Comme moi avec mon gobelet.

Depuis le départ de Kirsten, je n'ai pas fait de mots d'esprit. J'en tente un :

« Si vous n'aimez pas votre prénom, changez-le ! Il doit y avoir des magasins spécialisés pour ce genre de choses... »

Elle relève la tête de son gobelet. Me regarde. Esquisse un sourire, le premier.

J'éprouve un soulagement. Elle n'a pas pris ma remarque au sérieux et je n'ai pas l'intention de continuer la conversation. C'est déjà suffisamment éprouvant d'évoluer ainsi entre gêne et peur du ridicule. Un autre jour peut-être...

Elle ajoute quelque chose à voix basse... elle était très proche de sa sœur, elle lui manque beaucoup. Je n'insiste pas. Et je déteste mon égoïsme : d'autres personnes que moi peuvent avoir du chagrin ?

Des gens qui aiment et qui s'aiment, il en existe partout ! Il suffit de les rencontrer, de se rencontrer. Là, deux chagrins qui ne devraient pas se rencontrer se rencontrent. Lors d'un tournage, à côté d'une machine à café...

D'ailleurs, ce jour-là, nous nous séparons sur une critique violente, quoique dérisoire, de ce café tout à fait imbuvable.

« La prochaine fois, espérons qu'il soit meilleur ! dis-je.

— Oui. Ils vont changer la machine à café. Toute l'équipe des techniciens s'est plainte.

— Alors, ça va ! Bonne soirée ! »

En repensant, quelque temps plus tard, à notre échange, il m'apparaît dans toute sa simplicité et son bon sens. Un échange facile, sans arrière-pensée, presque altruiste. J'allais jusqu'à me dire que j'avais fait bonne impression. Nuance... Je n'écris pas : je *lui* ai fait bonne impression.

Le destin met soudainement Muriel sur mon chemin. Tout comme il a fait entrer l'Espagne dans ma vie, par surprise, alors que j'étais seul, désespéré et sans envie.

L'inattendu

Oui, l'Espagne est entrée dans ma vie brutalement l'été de mes douze ans. Elle ne m'a jamais quitté.

Toujours, elle se rappelle à moi. Elle est imprévisible, quoique constante.

Le mari de ma mère a décidé que je devais me séparer d'eux lors des vacances d'été. Ma mère n'ose s'opposer à lui. Elle acquiesce docilement. Ils viennent de se marier... et elle ne veut pas le contrarier au début de leur union.

Quel rapport avec l'Espagne ? « *Paciencia !* » comme chante Léo Ferré dans « Le flamenco de Paris[1] ». Comme un cri dans la nuit de l'exil.

Qui se souvient de tout cela ?

Sur les conseils de l'intrus, voleur de mère, cette dernière m'inscrit pour un séjour dans une maison d'enfants. Nous sommes au mois d'août 1951. Je suis envoyé au lieu-dit les Verdoyants, dans les Pyrénées-Orientales, à quelques kilomètres de la frontière espagnole.

---

1. Léo Ferré, « Le flamenco de Paris », 1946.

J'ai appris depuis que ce lieu a une longue histoire.
Il était le refuge d'antifascistes allemands lorsque Hitler a
accédé au pouvoir. Puis sont arrivés les réfugiés espagnols
qui sont passés aux Verdoyants avant de finir dans les
camps d'Argelès, de Rivesaltes et bien d'autres.
  L'été de mes douze ans, je ne connais rien de la guerre.
Je n'ai pas encore conscience de ce mal absolu et permanent
comme je l'aurai plus tard en ne cessant de m'interroger sur
les conflits du monde.

  Six équipes de huit enfants composent cette colonie... Ils viennent de différentes régions de France : du
Nord, de la Bretagne, de la Vendée, ou de Paris comme moi.
Certains parents, le cas des miens, font partie des Auberges
de jeunesse, cet important mouvement de jeunes à l'esprit
libertaire, apparu après la Seconde Guerre mondiale. Ils ont
choisi cet endroit réputé pour ses méthodes pédagogiques
modernes...

  Je sympathise avec un garçon de mon âge, Paco, mon
premier camarade réfugié espagnol. Il porte aux pieds des
espadrilles, des catalanes. Nous jouons, courons ensemble
sur les sentiers de montagne. Les buissons de framboises et
de myrtilles nous font des signes d'amitié.
  Une phrase de Jean Anouilh me revient à l'esprit :
« Il y aura toujours un chien perdu quelque part qui m'empê-
chera d'être heureu[x][1]. » Eh bien moi, il y aura toujours un
buisson de framboises quelque part qui me réjouira...
  À cet instant, je crois que je suis heureux. Mais Paco,
lui, garde toujours un air grave. Il ne me parle pas de sa
famille. D'ailleurs, je ne demande rien. Je lui confie le
mariage récent de ma mère. Il ne semble pas étonné.

---

1. Jean Anouilh, *La Sauvage* in *Théâtre I*, Bibliothèque de la Pléiade, 2007.

La montagne est si belle et, dans la journée, le soleil des Pyrénées si chaud. Le chant des sirènes s'est transformé en chant des framboises. Elles m'appellent, oui, elles m'appellent : « Daniel, viens ! Viens avec nous, nous t'attendons, viens ! Pour toi, nous sommes devenues incroyablement sucrées ! »

Je ne résiste pas et plonge dans cet océan généreux. Je transforme la réalité ? Peu importe. Je veux jouer, je veux vivre, rire, en toute insouciance, en toute innocence.

Malgré la beauté du décor, dès le premier jour, je déteste, je hais l'ambiance de cette colonie. J'ai déjà raconté cet épisode dans *Coco belles-nattes*... mais une petite révision s'impose. Avec des camarades de mon équipe, je dois participer le matin, après le petit déjeuner, à la préparation du repas de midi. Chaque enfant doit éplucher son tas de pommes de terre, avant d'être autorisé à participer aux jeux et aux activités obligatoires. Une grande table en bois est dressée dehors sous le chaud soleil de 10 heures. Dessus trônent ces pommes de terre qui me regardent d'un air suffisant, prétentieux, glauque ! Elles méritent amplement ces adjectifs. Qui n'a jamais observé de près une pomme de terre, une seule, ne peut ressentir l'ennui profond qui s'en dégage, de quelque côté qu'on la tourne. Sans compter le goût âcre de la chair crue, non cuite, non bouillie, non écrasée... Quelques années plus tard, je maudirai le nom de Parmentier, responsable de l'introduction de ce tubercule en Europe !

Je dois donner de mes nouvelles à ma mère une fois par semaine, tout ça sous la surveillance d'une monitrice. Ma lettre commence toujours par : « Chère maman... »

Impossible d'écrire la suite. « Cher... Cher... » Comment pourrait-il m'apparaître comme « cher », ce « père » que je n'ai pas choisi ?

La monitrice se tient debout dans mon dos. Elle m'observe et finit par me souffler :

« Eh bien, alors ? C'est tout ? "Chère maman, cher papa...", ça fait court, non ? Allez, je sais pas, moi, décris le paysage ! "Il fait très beau, j'espère que vous allez bien, moi, ça va !" Pas difficile quand même, vas-y, continue tout seul ! »

Cheveux noirs et courts, elle est laide et porte un short bleu. Elle se prénomme Georgette. Certains moniteurs l'appellent Georgy... Sa description tient en ces trois lignes. L'expression « je l'ai habillée pour l'hiver » lui convient parfaitement.

D'autres monitrices sont bien jolies. La plus moche m'est promise. On ne choisit pas, hélas. Georgy est une Joconde laide. Même encadrée au musée du Louvre, elle n'aurait pas beaucoup de visiteurs. Pourquoi m'acharner sur elle ? Parce que je reste persuadé que sa présence ne convenait pas dans ce magnifique décor de montagne. Elle demeure un mauvais souvenir.

Je reste un mois dans cette colonie. C'est long même si parfois il y a de vrais moments de joie avec mes camarades...

Dix moniteurs et cinq monitrices, dont Georgy, nous encadrent. Tous plus ou moins gentils. Hélas, la directrice de cette maison d'enfants ne m'aime pas, du moins je le crois. Elle m'a repéré depuis que mon père adoptif lui a adressé un jour une lettre de reproches mentionnant qu'« il est dommage que les Verdoyants accueillent des enfants "voleurs" »...

Le motif ? J'ai écrit à ma mère qu'il me manquait une chemisette, probablement égarée au cours d'un jour de lessive commune à la blanchisserie de la colonie. Je m'en suis aperçu lors de la distribution du linge propre. Nous sommes au moins une cinquantaine d'enfants, garçons et filles ! J'ai eu droit à un reproche public devant mes camarades, avant le déjeuner, au réfectoire, une ancienne grange où l'on pouvait sentir comme une odeur de foin. Dans cette salle, trois grandes tables en bois sont disposées auprès de bancs de même longueur. Tous les pensionnaires se tiennent debout. Avant de donner l'ordre de s'asseoir, la directrice frappe dans ses mains et demande le silence. Ce jour-là, ça débute comme ça :

« Les enfants, un événement grave est arrivé dans cette colonie. Je vous en fais part car une mise au point s'impose. Je pense que l'un d'entre vous sait déjà de quoi il s'agit. Comme il doit se sentir coupable ! Mais ne perdons pas de temps. »

Elle me pointe du doigt :

« Toi, petit frisé... »

Un long silence. Je contemple le plafond de la grange. Quelles belles poutres ! Et ces fétus de paille qui débordent d'un nid juché sur l'une d'elles. Je me mets volontairement à admirer, à rêver ; tout se transforme très vite en cauchemar. Deux secondes, trois... les dernières de ma vie... Je perçois le regard implacable du bourreau. Il ne porte pas de cagoule. Un bourreau féminin s'apprête à s'occuper de moi. (Mais au fait, quel est le féminin de bourreau ?) On me rappelle à l'ordre :

« C'est à toi que je m'adresse, petit frisé. Regarde-moi ! »

Mes dernières pensées sont pour ma mère :

« Je te pardonne d'avoir rencontré cet homme que tu aimes (et que je n'aime pas), cet homme qui a écrit cette lettre... Je te laisse aussi mon cahier de devoirs de vacances (je ne l'ai pas ouvert). Il est tout neuf. Tu pourras le revendre chez Gibert Jeune, la grande librairie du Quartier latin.

Avec cet argent, achète-toi un joli béret. Tiens, mon petit carnet de poèmes (je l'avais caché sous mon lit). Tu pourras lire chacune de ses pages. Le prénom de ma première amoureuse y figure (Claudine). En classe, elle est assise derrière moi et parfois me tire les cheveux. Sans doute un geste d'amour. Je ne la reverrai pas à la rentrée prochaine... Tu pourras bien sûr corriger les fautes d'orthographe si tu le désires. Il y en a peu (je suis assez bon dans cette matière). C'est bien ma seule fierté ! »

Ah ! Je suis trop jeune pour mourir ! Qui a inventé l'expression « mourir de sa belle mort » ?

Mon exécution est imminente. Tremblez, mes jambes ! Cogne fort, mon cœur ! Bientôt, tu te reposeras !

La sentence est prononcée avec des mots tranchants :

« Dans ta prochaine lettre, tu répondras à tes parents qu'il n'y a pas de voleurs de chemisette aux Verdoyants. Georgy vérifiera ta réponse avant de l'envoyer. Assieds-toi ! »

Je suis encore en vie, un miracle sans doute.

Un murmure parcourt le réfectoire. Le moment est dramatique. Dans mon assiette, des rondelles de concombre suintent. Elles semblent partager ma honte avec une étonnante solidarité. Je les regarde longtemps. Puis les mange. Les seules preuves de ma honte disparaissent dans mon estomac. Cinquante ans plus tard, ces rondelles de concombre prennent tout leur sens : elles sont devenues ma petite madeleine de Proust. Ma main tremble en les piquant avec une fourchette.

Comme j'aurais aimé me cacher sous mon assiette ! Certains souvenirs sont difficiles à effacer. Même si les années passent et que certains, plus agréables, tentent de recouvrir toutes ces blessures. Et puis, un jour, ils ressurgissent, envahissent tout sur leur passage, inondent tout, comme un horrible tsunami, mille et une vagues d'images

négatives, de paroles douloureuses. Impossible de résister
à leurs assauts.
Ne pas fuir! Ne pas les repousser. Attendre. Subir.

Un matin, une lettre de ma mère. Ces mots :
*Mon trésor chéri, couvre-toi bien en te couchant car les
nuits sont fraîches en montagne.*
Cette phrase lue et relue fait oublier l'épisode de la
chemisette et de l'affront subi.

La directrice des Verdoyants a envoyé aux parents
un questionnaire à remplir avant de nous accueillir. On y
demande notre profil, nos goûts, notre caractère. Prenant
l'affaire en main, Robert répond. Je suis fils unique, « indi-
vidualiste », un peu renfermé, et ne pense qu'à moi. Ma mère
m'a répété cela avec un sourire : « Tu comprends, "ils" veulent
savoir qui tu es, ce que tu aimes, tes défauts, tes goûts... »
Robert ne manque pas de préciser qu'un séjour dans
cette collectivité me fera le plus grand bien. Il le répète à la
moindre occasion : « Ça te fera le plus grand bien, un séjour
en collectivité ! »
Il l'aime, ce mot de « collectivité ».

La journée de ma première honte d'enfant passe
péniblement. Ce soir-là, devant le vaste bâtiment blanc de
la colonie, au moment où la lune apparaît, timide, derrière
les grands sapins, tentant, avec patience, d'atteindre les
sommets de la montagne, ce soir-là dans la grande cour en
terre battue, faiblement éclairée par des réverbères épuisés,
où quelques brins d'herbe brûlée résistent vaillamment
aux assauts de l'été, un groupe de garçons de mon équipe,
de douze à quatorze ans, venus du département d'Algérie,
parodie des chants arabes accompagnés de mouvements de
danse du ventre devant les moniteurs.

Ils rient, se bousculent et s'énervent. Les plus hardis se trémoussent avec délectation. Non loin de là, assis sur un rocher, je les regarde et les écoute, immobile, sans comprendre pourquoi ils rient en chantant. Petit à petit, les voix se fatiguent. Les mouvements de danse du ventre ralentissent. Un des moniteurs met un terme à la soirée :

« Allez, les enfants, c'est l'heure ! Tous au lit ! »

Nous nous regroupons devant le bâtiment qui abrite notre sommeil jusqu'au lever du jour, un jour qui s'annonce magnifique.

« Avant de rentrer, regardez le ciel, les enfants ! Vous voyez toutes ces étoiles. Regardez : une étoile filante... Il fera encore beau et chaud demain. »

À mes côtés, une voix timide s'élève, celle de Paco, mon petit copain espagnol :

« C'est comme chez moi, en Espagne... »

Il ajoute :

« En Catalogne. »

Le soir, dans le dortoir, allongés sur nos lits en fer, l'un à côté de l'autre, avant que le sommeil nous emporte, nous nous racontons longuement nos courtes vies. La voix de Paco se fait plus basse quand il évoque ses parents et lui fuyant la guerre civile qui ravage leur pays. Des milliers d'hommes, de femmes, de vieillards et d'enfants vaincus, chassés, poussés vers l'exil par une force qui, pour beaucoup d'entre eux, les dépasse.

Aujourd'hui encore, en écrivant ces lignes, je garde la conviction qu'il y a toujours des personnes de cœur, des mains généreuses, des mains qui se tendent aux moments les plus douloureux, les plus cruels. Comme ces mains anonymes qui ont sorti ces enfants des camps d'Argelès et de Rivesaltes où les autorités françaises internaient les Espagnols dès leur passage en France au moment de la

« grande retraite » des Brigades internationales, la *Retirada* – qui signait la défaite des républicains espagnols...

Paco et moi jouons et courons ensemble sur les sentiers des montagnes. Ces montagnes nous protègent. Sous la conduite des moniteurs, nous nous baignons nus dans des petits lacs entourés de fougères. L'eau est froide. Nous nous aspergeons, pensant ainsi que l'eau va se réchauffer et nous avec. Ne sommes-nous pas des enfants ?...

Dans mon souvenir apparaît le visage radieux d'une petite fille, espagnole également. De longs cheveux noirs. Rosita. Lorsqu'elle s'adresse à Paco, ils parlent en espagnol. Pendant les repas, dans le grand réfectoire aux murs blancs, Rosita me sourit souvent. Moi aussi. Je m'accroche à l'idée qu'une fois, rien qu'une fois, elle m'appelle Daniel.

Qu'es-tu devenue, Rosita ?

Et toi, Paco ? Toi qui, d'un air grave, me dis un matin à la fin de ce mois d'août :

« Nous ne nous reverrons plus, Daniel ! Je pars. On va venir me chercher. »

La phrase de Paco me surprend. Mon cœur s'affole. Je proteste, je refuse de croire ça. On va s'écrire, on va se retrouver l'année prochaine aux grandes vacances. J'essaie de croire à mes arguments mais je sais qu'ils sont bien faibles. D'une voix douce, Paco poursuit :

« C'est comme ça ! C'est la vie ! Ce n'est pas la première fois que je me sépare de camarades pour ne plus jamais les revoir. »

Et d'ajouter en me serrant la main :

« En Espagne aussi, ça m'est arrivé. »

Il part rejoindre, avec son sac à dos, deux infirmières de la Croix-Rouge qui l'attendent devant le bâtiment de l'administration. Des camarades lui crient :

« Allez ! Salut, Paco ! »

Au volant d'une voiture verte dont je ne me rappelle plus la marque, un homme en blouse grise, le conducteur, s'impatiente. Avant de monter dans le véhicule, Paco se retourne et me fait un dernier geste de la main.

Au revoir ? À bientôt ? Adieu ?

Je ne l'ai jamais revu.

Rosita continue de me sourire jusqu'à la fin du séjour. Puis elle s'en va, elle aussi, m'adressant un dernier regard... Deux grands yeux noirs.

Je connais mes premiers moments de réelle solitude.

Je n'ai jamais remis les pieds dans cet endroit.

Pourquoi n'ai-je jamais raconté cet épisode avant ? Il est pourtant bien gravé dans ma mémoire ? Et pourquoi ressurgit-il tout à coup, au début de cette histoire, à cette période de ma vie ? Un mystère sur lequel je ne cesse de m'interroger. Les années passent. Elles sont longues, denses, heureuses ou pénibles, douloureuses, selon les caprices du destin. Cette manière dont je viens de les nommer, les décrire : il en est ainsi pour chacun de nous, je le sais bien. Notre destin est commun. Cet été-là, pour ma propre existence, mon propre destin, l'Espagne entre dans ma vie et ne me quitte plus.

Et pourtant... j'ai attendu près d'un demi-siècle pour m'y rendre. Je m'étais juré de ne jamais y aller tant que le régime du général Franco serait en place. Je suis un idéaliste.

J'ai douze ans. Même à quinze, vingt, trente, quarante, cinquante, soixante ans ou plus, mon étonnement devant la vie reste celui d'un enfant de douze ans.

Un orage gronde sur moi et des milliers de taureaux bousculent mon corps d'adolescent effrayé. Pourquoi tout à coup cette image de taureau ? Elle vient d'un dessin de Picasso, sur la pochette d'un disque enregistré par l'acteur Marcel Lupovici qui, accompagné à la guitare par Jean Borredon, dit des extraits du *Romancero gitan*, de Federico García Lorca.

C'est en 1961. Cinquante ans ont passé et, sans effort, ma mémoire retrouve le nom du comédien : Marcel Lupovici. J'apprends un poème par cœur et mets à l'épreuve ma sincérité et ma sensibilité en déclamant les vers de Federico, « À cinq heures du soir » : le poème sur la mort du torero Ignacio Sánchez Mejías...

> « À cinq heures du soir,
> la mort déposa ses œufs dans la blessure[1]. »

Image brûlante et glaciale à la fois.

C'est cela, l'histoire de mon Espagne imaginaire, ma mémoire espagnole, mon voyage espagnol. Un grand voyage jamais achevé. Volontairement. Comme une petite voix intérieure qui soufflerait : « N'oublie pas l'Espagne, n'oublie pas Paco, n'oublie pas Rosita. Ils furent tes premiers amis d'enfance. » Cette Espagne imaginaire accompagne mon existence au fil des années. Paco et Rosita ont écrit les premières pages du livre mystérieux, et parfois bienveillant, de ma vie. Ombre grise et lumière éblouissante à la fois.

Mon refuge.

---

1. Federico García Lorca, *Chant funèbre pour Ignacio Sanchez Mejías*, in *Œuvres complètes I*, Bibliothèque de la Pléiade, 1981.

L'ineffaçable décor

L'Espagne vient combler un vide. Elle éloigne un manque affectif. Muriel, à sa manière, a pris les traits de l'Espagne de mon enfance. Imprévisible et salvatrice.

Après le décès de Kirsten, je ne cherche le regard de personne. D'ailleurs, personne ne me regarde ! Je viens d'entrer dans l'Invisible. Je marche en tenant la main de Kirsten, invisible elle aussi. Elle ne me quitte pas. Elle a certainement assisté à ma rencontre avec Muriel. Peut-être en est-elle contente. Contente de quoi ? Elle a dit un jour à Areski, un de nos amis communs :
« S'il m'arrive quelque chose, je ne veux pas que Daniel reste seul. Il oublierait de prendre ses médicaments. »
Elle insiste :
« Non, il ne doit pas rester seul... »
Elle ajoute :
« C'est un enfant ! »
Cette présence ressentie de Kirsten disparaît quand j'entends cette phrase en moi : « C'est un enfant. »
Je repense à mes instants de « folie furieuse », en proie à un délire créatif irrésistible mais inoffensif lors

de soirées entre amis où je vais jusqu'à poser une tranche de jambon sur mon visage en demandant à l'un d'eux de mettre dessus quelques cornichons afin de la décorer. Chacun des invités prend une photo souvenir de cet événement historique. Tout cela sous le regard indulgent de Kirsten, qui intervient quand mon délire va trop loin. Elle dit alors de sa douce voix :

« Daniel, calme-toi, redescends sur terre, fais atterrir ta tranche de jambon dans ton assiette, mange les cornichons et ensuite on passe au gâteau. »

Ce sont des années heureuses, faites de grands bonheurs et de petits soucis. Cela va-t-il durer ?

Comment allons-nous nous séparer ? Je viens de connaître, de manière brutale, avec le départ de Kirsten, les réponses.

Dans ma grande maison, désœuvré, je me traîne d'une pièce à une autre, suivi par ma chienne, Patoche. Je regarde des photos de Kirsten et moi, jeunes gens, Kirsten aux cheveux blonds et aux yeux bleus, avec sa casquette d'étudiante bachelière entourée de ses camarades de classe ; notre mariage à la mairie de Stockholm, les jeunes filles de son cours de danse nous font une haie d'honneur à la sortie de la mairie avec leurs chaussons de danse ; Jonathan bébé, son premier arbre de Noël, ses premiers anniversaires avec ses copains, ceux avec des jeunes filles. Ma vie se réduit à des boîtes de carton pleines de photos, de Polaroid aux couleurs passées. Je referme les boîtes.

J'ai tout perdu.

Ce jour-là, Jonathan m'appelle :

« Papa, tu fais quoi ce soir ? Isabelle et moi, on t'invite au restaurant. D'accord ? On passe te chercher vers 20 heures. Sois prêt. On t'aime, papa. »

Je réponds machinalement :
« D'accord, mon fils. À ce soir. »
Cela bien sûr me fait plaisir. Comment penser le contraire ?
Une pareille preuve d'amour filial, c'est exactement ce que j'attends de Jonathan.
Mais, dans un moment de courage imprévu et insensé, je décide d'appeler Muriel et de l'inviter au restaurant. En l'espérant libre, prête à accepter. Sinon je ne l'appellerai plus jamais.
Je songe alors à Kirsten. Qu'en penserait-elle, elle qui est partie si loin ? Le téléphone sonne longtemps. Une voix fatiguée répond :
« Allô ?
— Muriel ?
— C'est qui ?
— C'est moi... »
Je n'ose prononcer mon prénom. J'y parviens :
« C'est moi, Daniel. »
Je trouve mon prénom « con », ordinaire, plat. Bref, je me déteste à cet instant. Ma voix tremble. J'ai encore le courage de dire :
« Je te dérange ?
— Non, j'étais allongée sur mon canapé, je somnolais...
— Alors, je te dérange.
— Pas du tout. J'allais me lever, préparer mon dîner. »
Un minimum d'assurance me revient.
« Si tu veux, je t'invite au restaurant... »
Sa réponse, sa défense, je les ai prévues :
« Écoute, il faut que je te dise... Je me sens mal à l'aise, je suis gênée...
— De quoi ?
— Je me dis que je n'ai pas le droit d'être là... prendre

la place de Kirsten... quand tu me parles d'elle... je me sens coupable.

— Je comprends. »

Je sens la présence de Kirsten près de moi. La phrase de Luc, un de mes amis, prend tout son sens : « Elle te protégera toujours... »

Je parviens à ajouter :

« J'ai envie de te voir... »

Kirsten s'est invitée dans notre conversation. Peut-être est-ce elle qui nous souffle nos mots ? Muriel répond :

« Moi aussi, j'ai envie de te voir, seulement... ne penses-tu pas que d'être, toi et moi, dans la même douleur fausse notre relation ? »

Brusquement, Kirsten a disparu. Je dois raccrocher, arrêter cette conversation qui nous torture. Arrêter tout, retourner ouvrir mes boîtes en carton pleines de photos. Il n'y a qu'à faire ça. Raccrocher, s'installer dans un fauteuil, une couverture écossaise sur les genoux. Mon fils Jonathan et Isabelle me rendront visite à la maison de retraite où ils m'auront placé...

Mon avenir est sombre. Kirsten ne le souhaite pas ainsi, je le sais.

Alors je dis à Muriel :

« On ne fait rien de mal. »

Elle accepte mon invitation.

Au fond de moi, je ne veux pas abandonner Muriel. Je dois juste trouver un alibi pour ne pas dîner avec Jonathan et Isabelle !

Je me sens coupable envers mon fils. Il ne comprend pas mon désir de continuer à vivre. À deux ? Jamais ! Vivre, oui, mais seul. C'est mon avenir.

« Je viens te chercher à 20 heures. Je connais un très bon restaurant chinois. Mais... je ne connais pas ton adresse.

— Je te l'envoie par SMS... »

Kirsten, invisible, ne m'aide pas pour trouver un alibi. Je dois me débrouiller seul.

Elle a toutefois dû entendre ma phrase : « On ne fait rien de mal. »

Peut-être a-t-elle été contrariée... Décommander Jonathan s'avère urgent.

« Voici venir la mort avec sa gueule de raie », écrit Paul Guimard dans *Les Choses de la vie*[1]. Il parle de la mort, certes. Je remplace le mot « mort » par celui de « culpabilité ». Comme je me sens coupable vis-à-vis de Jonathan ! Je lui mens. J'ai mal.

J'atteins le sommet de la lâcheté après quinze minutes d'hésitation, marchant de long en large dans mon salon, m'asseyant sur le canapé en cuir rouge que Kirsten a fait faire sur mesure ; me relevant, me rasseyant, me relevant, m'approchant de la baie vitrée donnant sur le jardin qui commence à être couvert de fleurs ; me retournant vite car rien ne parvient à accrocher mon regard. Une telle lâcheté ne peut durer. Je serre mon téléphone portable dans ma main droite. Une crampe saisit mes doigts. Tous mes doigts. Le téléphone tombe sur le parquet.

Kirsten me fait un signe :

« Appelle-le, Daniel. Tu sauras trouver les mots. Jonathan t'aime, c'est ton fils, il comprendra. »

Je ramasse le téléphone, compose le numéro de Jonathan. Je redeviens courageux. La boîte vocale de mon fils, claire et précise, indique son absence. « Laissez un message. » Ma lâcheté refait surface, puis fait place à un reste de courage.

« Jonathan, c'est papa. Je ne pourrai pas dîner avec vous ce soir, les enfants. J'ai complètement oublié une invitation chez Jean-Louis et Liliane. Ça fait deux fois qu'ils

---

1. Paul Guimard, *Les Choses de la vie*, Denoël, 1967.

m'invitent. Je ne peux pas décommander. Je vous appelle demain matin. Bisous!»

Une fois le message enregistré, le mot «complètement» me semble bien trouvé, et bien placé. Je ne vais pas me complimenter, ce serait indécent, mais bon... Je suis sauvé mais coupable comme toujours.

D'un coup, j'assure ma propre défense. Je me mets à hurler dans la maison:

«Je suis libre, vous entendez? Libre! Je n'ai rien fait de mal quand ta mère était là! Rien!»

Encore un comportement ridicule. Je me vois crier devant mon portable, posé sur le meuble de l'entrée:

«Libre! Tu sais ce que c'est d'être libre?»

Ma voix, presque blanche, se tait.

Avoir cité Jean-Louis et Liliane, des vieux amis, que Jonathan connaît, me rassure. S'il m'interroge sur la soirée, je pourrai répondre sans hésiter:

«Jean-Louis, comme tu sais, c'est mon plus vieux copain. Il a retrouvé des photos de nous quand nous étions en Italie, en colonie de vacances avec le collège Turgot; il voulait absolument me les montrer. Il part avec Liliane s'installer à La Réunion, etc.»

Un vrai mensonge envers mon fils.

Je pleure, je craque. Plus je pleure, plus la réalité de la situation m'étouffe. Kirsten et Muriel paraissent bien s'entendre dans ce dialogue inaudible. Muriel est la seule personne bienveillante à mon égard depuis le départ de Kirsten, je le sais. Je veux tout faire pour la garder près de moi, lui dire ma solitude extrême, lui écrire des lettres et des lettres, des centaines de lettres. Pour lui prouver quoi? Je suis pris de logorrhée. Un authentique délire.

Ma tête en feu me ramène à ma peur de la perdre, mon surmenage, ma dépression permanente, la plaquette de Xanax donnée par le médecin le jour du décès de

Kirsten, ma tachycardie, le livre de Roland Barthes que j'ai acheté : *Fragments d'un discours amoureux*. Les phénomènes d'anxiété me font voir tout en noir et blanc autour de moi ; ils durent quelques minutes, s'évanouissent, reviennent, disparaissent. Je me récite des phrases : je veux me reconstruire, je veux vivre... Le cauchemar pour un survivant, c'est la culpabilité ! Oui, je suis un survivant. Je ferais mieux de me suicider. J'y songe les trois premiers jours après le départ de Kirsten. J'y renonce. Une lâcheté de plus. Alors, je commence à penser à Muriel, à peine entrevue sur le tournage du film. Petit à petit, elle prend possession de toutes mes pensées. Je suis étranger à moi-même.

Muriel est comme une obsession, une réminiscence de l'Espagne, qui vit en moi sans jamais m'avoir montré son visage. La rose de Rosita qui a éclos. Elle, mon nouvel amour, elle, l'Espagne, mon amour de toujours. Elle n'est pas une idée fixe, plutôt ce que j'appellerai plus tard mon ineffaçable décor. Je n'ai pas conscience d'être atteint d'une lubie inoffensive. Si c'en est une de lubie, quels instants de bonheur j'éprouve lorsqu'elle apparaît en moi !

Cette obsession se traduit notamment par une soif de connaissance de l'œuvre de Federico García Lorca, une envie irrépressible d'en savoir plus sur lui, davantage que tout autre poète. Pourquoi Lorca ? Pour cette première rencontre, à l'école : « Il marcha vers la mort »..., alors qu'il n'a toujours été que vie pour moi.

Il m'arrive de me persuader, à l'instar de Gérard de Nerval dans son poème « Fantaisie », d'avoir « déjà vu », dans une autre existence, « une dame, à sa haute fenêtre[1] ». Persuasion aussi, dans une autre existence, d'avoir été espa-

---

1. Gérard de Nerval, « Fantaisie » in *Odelettes* in *Œuvres complètes I*, Bibliothèque de la Pléiade, 1989.

gnol... La question reste en suspens. Aucune explication à ce jour. L'Espagne et Federico nourrissent mon imaginaire par des éléments réels qui vivent en moi. La mémoire de ma vie retient, au fil des années, tant et tant de poèmes de Federico, écrits pour ses amis vivants ou morts.

J'ai toujours été un jeune homme fou de poésie, dès ma découverte de Baudelaire, de Rimbaud ou d'Apollinaire. Avec l'argent de poche donné par ma mère au fil des semaines, j'achetais des recueils de poésie édités chez Pierre Seghers dont, bien sûr, un de Federico. La beauté de ses images a transpercé mon cœur adolescent. Sa poésie me transporte, m'enthousiasme. Je voudrais écrire des poèmes comme les siens... Je rêve de recevoir une première lettre d'amour qui commencerait ainsi :

« J'ai peur de perdre la merveille de tes yeux de statue[1] »...

Ou par ce vers :

« Tu ne sauras jamais combien je t'aime[2] »...

Dans ma tête en feu tournent les multiples images, douces et violentes, celles de ses poèmes. Je garde toutes ces sensations en moi, c'est une passion secrète et pure. Personne ne doit le savoir. J'en ferai l'aveu plus tard. Mais à qui ?

De ces moments fugitifs je profite pleinement.

Federico, sa poésie, mon Espagne intérieure, Muriel, tout se mêle – vertige du sentiment amoureux. Je ne cesse d'y penser.

---

1. Federico García Lorca, « Sonnet de la douce plainte » in *Sonnets de l'amour obscur* in *Œuvres complètes I*, Bibliothèque de la Pléiade, 1981.
2. Federico García Lorca, « L'amour endormi sur le sein du poète », *op. cit.*

Vers 14 heures, je mange la moitié d'un yaourt, cela me fait patienter jusqu'au soir. Je décide de faire une sieste dans la chambre d'amis au premier étage. Je m'allonge, contemple le plafond. J'essaie de m'endormir un peu sur ce lit d'une personne, sans y parvenir. Kirsten intervient. Elle m'invite à faire un exercice de décontraction basé sur le souffle : inspiration, expiration... Sa voix douce insiste : « Inspire, expire... Doucement. Inspire. Expire. Pense à une image de calme, un lac, un ruisseau qui coule dans la montagne. Pense au poème de Rimbaud que tu aimes tant : "C'est un petit val qui mousse de rayons." Trace le signe de l'infini comme je te l'ai appris. Tu es trop nerveux, Daniel. Essaie de t'endormir une demi-heure. »

J'essaie. Sans résultat.

Ça ne marche pas ce jour-là. « Ça ne marchera plus jamais. Plus jamais ! Ça fonctionnait quand tu étais en vie, près de moi ! Tout est faux depuis ton départ ! Tout est bidon. »

Je n'ai pas été reconnaissant. Je le savais. Je m'en veux.

Que faire ? Appeler Muriel, lui dire que je ne viens pas ce soir. C'est ça : je suis pris d'une migraine ophtalmique qui m'oblige à rester allongé dans le noir ; j'ai de violentes douleurs (je vais insister sur l'adjectif « violentes »). Elles frappent dans mon crâne malade... je peux à peine parler... j'inverse les consonnes... les syllabes... les points... les virgules... si je devais lui souffler « je t'aime », je lui dirais « te j'aime ». Elle ne comprendrait pas. Puis un long silence entre nous deux. Et ensuite je lui demanderais :

« Tu m'excuses, Muriel, tu ne m'en veux pas ? »

Si j'avais la chance qu'elle me réponde :

« Non, non, je sais ce que c'est, mon frère souffre de la même maladie ! »

Ça ne se passera pas de cette façon... J'abandonne cette envie de prendre une telle impasse, « l'impasse

Muriel ». Dire que j'invente sa réponse et j'ignore si elle a des frères. Je recule à grands pas... devant quoi ? Et pourquoi ? Autour de moi flotte un léger agacement chez Kirsten. De sa voix lointaine, elle me fait des reproches, blâme mon indécision. Je dois me ressaisir ! Mais je me trouve des excuses. Il y a très longtemps que je n'ai pas vécu pareille situation. Et c'est moi qui la provoque. Kirsten sait tout cela ; elle connaît ma timidité malgré mon côté « matamore ». Je suis un comédien. Alors, j'essaie d'improviser la première phrase :

« Je suis un peu en retard. Excuse-moi, il y avait des embouteillages... Tiens, je t'ai apporté ça... »

Immédiatement, j'enchaîne :

« Non ! En fait, je ne t'ai rien apporté. »

Apporter quoi ? Ce serait vulgaire et présomptueux. Plus tard. La prochaine fois.

Et s'il n'y en avait pas, de prochaine fois ?

Dans le même temps, je lui dis que ma parole elle-même est un cadeau. Va-t-elle comprendre ce mot d'esprit ? Sinon, je passe pour un prétentieux complet !

Je conclus cette piteuse tentative d'exercice de séduction qui subsiste de l'adolescent de quinze ans que je fus en décidant de rester sur l'invention de cette première phrase. Cela me soulage. Je me calme en me remémorant la citation de La Bruyère : « Tout est dit, et l'on vient trop tard depuis plus de sept mille ans qu'il y a des hommes et qui pensent. »

Quoi que je dise, j'arrive trop tard – ou j'arriverai trop tard. Je ne fais que répéter des mots utilisés et usés par d'autres.

Je me souviens encore de ce moment particulier où lors d'une réunion avec les techniciens et les acteurs du film, en fin de journée, j'ai été invité avec Kirsten à prendre un verre avec l'équipe, histoire de sceller les énergies du tournage. L'ambiance est détendue, joyeuse. Une trentaine de personnes, les verres à la main, rient, se racontent des blagues. Avec Kirsten, j'avance vers un groupe afin de participer à cette petite fête. Je vois deux jeunes femmes qui tentent de cacher leurs pleurs et parlent à voix basse. Kirsten me suit : elle est le témoin de tous mes instants. Je me permets de demander ce qui se passe. L'une des deux femmes (à laquelle me suis-je adressé, est-ce cette jeune femme dont j'apprends plus tard qu'elle se prénomme Muriel et qu'elle déteste s'appeler ainsi, ou cette autre jeune femme dont je ne retiens pas le prénom?) me dit, entre deux sanglots, qu'elle vient de perdre son père. Quant à Muriel, sa sœur vient de mourir. Elles sont dans cette période du deuil où la fragilité de chacun se découvre, où aucune parole de consolation ne remplace l'absence récente d'un être aimé. Je cherche cependant une parole apaisante, réconfortante. Me revient la phrase d'un film américain vu avec Kirsten : une jeune femme délaissée par son mari tombe en grave dépression. Une de ses amies lui conseille de se faire aider. Elle consulte une psychanalyste, raconte sa douloureuse situation. La psychanalyste l'écoute et lui dit :

« Ne restez pas à vous morfondre, vous êtes jeune, replongez-vous dans ce grand mouvement de la vie qui vous attend. »

« Replongez-vous dans le grand mouvement de la vie » me semble un début de solution pour ces personnes en souffrance. Au moment où j'énonce cela, je crois sincèrement en son effet apaisant. Je conclus par ces mots stupides :

« Allez, courage ! »

J'aurais pu continuer par : « Excusez-moi... On ne sait jamais quoi dire. J'ai fait de mon mieux... Je voudrais bien vous aider. »

Et pourquoi pas, tant qu'on y est : « Il faut que je rentre, j'ai un anniversaire ce soir. »

Dans ces moments, aucune phrase n'est « stupide ». Simplement, ces paroles sortent d'un hypothétique *Manuel à l'usage de ceux et celles qui sont ou seront confrontés au malheur inévitable.*

La petite fête s'achève. Les verres sont vides. Nous sommes « troublés », Kirsten et moi, par ce moment. Je ne trouve pas d'autre adjectif pour le qualifier. Nous dînons ce soir-là au restaurant de l'hôtel, partageant à demi-mot la tristesse de ces deux femmes.

N'ai-je pas souvent dit en l'absence de solution devant une difficulté : « On verra bien ! » Hélas, on ne verra jamais bien ! Il faut ajouter un bémol à cette interjection. Écrire : « On verra mal. » C'est plus juste.

Je l'utiliserai ce soir, lors du rendez-vous avec Muriel, au restaurant. Je me répète plusieurs fois « on verra bien » à haute voix. Jusqu'à m'en persuader.

Ma chienne est inquiète. Elle tourne autour de moi, frotte son museau contre mes jambes. Je la rassure d'une caresse et de baisers. Je l'aime. Je ne sais pas ce qui m'arrive. Je lui susurre à l'oreille ce vers de Federico :

« Tu ne sauras jamais combien je t'aime. »

Je lui dis et lui redis, comme il faut sans cesse le dire à ceux que l'on aime, à ceux que l'on a aimés et dont nous nous séparerons un jour.

Je l'entoure de mes bras et je pleure. C'est ma chienne et Kirsten me souffle de prendre soin d'elle. Patoche sent bien qu'il manque quelqu'un dans cette maison, quelqu'un qui l'emmenait faire de longues promenades dans le bois tout proche, quelqu'un pour jouer avec la balle blanche devenue grise et qui s'effiloche parce qu'elle la mordillait chaque jour consciencieusement et tirait dessus de toute sa mâchoire quand Kirsten la retenait dans sa main. Et ce petit lac dans lequel Patoche redoute de tomber et qui pourtant l'attire si ardemment quand elle guette en aboyant une cane et ses canetons voguer sur l'eau avec un air détaché et fier, passant si près de la rive par provocation. Un jour, j'écrirai un livre sur ma chienne. Il s'intitulera : *Les Jours canins*.

Je descends au rez-de-chaussée. Je lui donne ses croquettes plus tôt que prévu. Les heures passent lentement.

Tout est contradictoire dans ma tête. Ces contradictions m'oppressent.

Je vais aller à ce rendez-vous avec Muriel parce que je souffre d'être seul, de cette brutale solitude, parce que je suis libre, parce que je ne suis pas un coureur, parce que je veux encore partager ma vie avec un être humain, parce qu'il me reste encore des mots d'amour à prononcer sur des lèvres douces, tout contre une oreille, même si je ne sais pas quel sera le timbre de ma voix quand je prononcerai ces premiers mots d'amour, ceux qui brûlent les lèvres et le cœur.

À ce moment, Kirsten me souffle qu'elle ne sera pas jalouse si je prononce les mots que je lui ai déjà murmurés. Cela fait si longtemps, si longtemps.

Non. Je ne vais pas aller à ce rendez-vous ; le courage me manque en pensant à Jonathan et Isabelle, dont je vais comprendre trop tard qu'ils vivent avec la sensation d'un bras arraché ; ils vont croire que je les abandonne alors qu'ils sont si présents dans mon cœur, présents à en hurler. Je suis écartelé.

Je n'irai pas. Me revient cette scène obsédante au lendemain de l'absence définitive de Kirsten. Cette matinée où, de retour de tournage après la cérémonie du deuil, je rencontre Muriel et lui dis :

« Tu vois, Muriel, tu sais à ton tour ce qui m'arrive. Je t'ai parlé du grand mouvement de la vie : nous en faisons tous partie. Nous sommes dans le grand mouvement de la vie, toi et moi. »

Comme j'ai honte de moi, de mon existence injuste, de mes défauts que je ne peux nommer (d'autres le font à ma place sans rien oublier).

Je ne vais pas aller à ce rendez-vous. Je dois désormais me présenter sous mon meilleur jour... De quoi est-il fait, ce meilleur jour ? Doit-on tricher ? Se vanter ? Se faire meilleur que l'on est ? Promettre ce que l'on ne tiendra pas ? Être triste ? Ou faussement gai ? Quoi raconter de sa précédente vie ? Rien. Alors ? Inventer, mentir à deux pendant le premier repas au restaurant ? Garder des secrets, n'en révéler aucun ? Rester naturel, jouer le naturel ? Manger proprement, pas trop... Boire très peu. Boire de l'eau, ne pas boire de vin afin d'être maître de son langage. Et de ses émotions...

Je ne peux pas y aller. J'éprouve cette peur, cette peur toujours collée à ma vie.

Sûr de moi ? Jamais ! Mon angoisse est permanente. Elle travaille à temps complet. Mon angoisse se réveille et se couche chaque jour, en même temps que moi.

Je vais aller à ce rendez-vous avec Muriel. Pourquoi ? Pour ouvrir la porte de mes dernières années. Vivre mes derniers soleils, mes derniers étés. Mes derniers sourires, mes derniers rires. Vivre mon dernier amour, tout ce qui peut cacher mon état de « veuf », ce mot qui me donne des haut-le-cœur. Autour de moi, je ne connais pas de veuf, aucun parmi mes copains avec lesquels je garde des liens. Non, je n'en vois aucun. Je dois être le premier veuf de ma génération. Tous sont mariés... En attente de veuvage peut-être. Dès qu'ils le seront, ils connaîtront ma situation.

Je vais aller à ce rendez-vous. Comme ça, je leur donnerai plus tard des conseils. Entre veufs, on se comprendra. Peut-être écrirai-je un livre : *Un veuf vous parle*.

J'irai à ce rendez-vous.

Le retour du refoulé

Je repense au poème « Chant nègre de Cuba »,
de Federico García Lorca : « J'irai à Santiago. »
L'Espagne me revient toujours à l'esprit, par images, par
citations ! Ensuite, elle disparaît, discrète et silencieuse.

Un été, quelques mois avant de présenter mon spectacle en Avignon, je retourne aux Verdoyants, endroit que
j'ai détesté, enfant, lors de mes vacances. Je n'ai aucune
appréhension ; je m'attends juste à voir ressurgir des souvenirs douloureux, à ressentir de la tristesse, avec des larmes
qui serrent la gorge... Là encore, je ne peux citer que Federico
García Lorca : « Tout le reste était mort et rien que mort[1]. »
Il ne se passe finalement rien ! Je reconnais les bâtiments
entourés de montagnes, celui où les enfants dormaient,
la salle où nous prenions nos repas, le rocher qui semblait
si haut, et que nous appelions entre nous « la Sorcière » ;
il nous faisait peur de son air méchant. Il était recouvert de
broussailles, d'arbres et de hautes herbes : la nature avait
seulement fait son œuvre.

Je ne ressens aucune émotion, aucune tristesse, rien.

---

1. Federico García Lorca, *Chant funèbre pour Ignacio Sanchez Mejías, op. cit.*

« Tout le reste était mort et rien que mort. »

Seules les montagnes se dressent, fières, immuables, face à « la Sorcière ». Après tant d'années, j'éprouve comme une forme de vengeance, sûrement celle du temps. C'est terminé. J'oublierai et je n'en parlerai plus. Peut-être fallait-il, pour connaître un apaisement, faire ce voyage sans cesse repoussé dans mon subconscient. Au fond de mon cœur continuent de résonner les prénoms de Paco et Rosita.

Cette obsession de l'Espagne doit avoir un sens. Lequel ? Je l'ai poursuivi toute ma vie. Je suis malade de l'Espagne.

Inconsciemment, je cherche à revoir Paco et Rosita. Est-il possible qu'ils aient fait des recherches pour me revoir, revoir ce petit garçon aux cheveux noirs frisés que j'étais alors, rencontré un été ? « Une fleur sur les lèvres[1] »... (C'est Léo qui chante...)

Un retour en arrière s'impose. Comme tous les êtres humains, ma vie passe, entre bonheur et malheur. J'ai voulu oublier le nom de l'endroit de notre rencontre mais j'y pense parfois avec amertume.

Jusqu'au jour où, me décidant à proposer un spectacle sur Federico, le nom de cet endroit surgit dans ma mémoire grâce aux prénoms de Paco et de Rosita.

Sans ce spectacle, jamais je n'en aurais parlé. J'en garde de tristes souvenirs même si je les pensais évanouis. Peut-être avais-je exagéré ; déformant et grossissant les faits au fil des années. Peu importe. En commençant à écrire ce spectacle, le nom des Verdoyants me revient.

C'est « le retour du refoulé ». J'ai vécu dans le déni.

Je cherche fébrilement sur Internet ; l'endroit existe encore... Réapparaissent alors toutes les images de cette

---

1. Léo Ferré, « Le flamenco de Paris », 1946.

période ; elles étaient enfouies, non perdues. J'écris tout cela avec émotion au début du spectacle...

Tout se précipite, se bouscule dès lors dans ma tête. Un matin, je décide de téléphoner aux Verdoyants. J'explique être un ancien pensionnaire de cet établissement. Y être venu en 1951 ou 1952. Une voix féminine m'écoute avec bienveillance et curiosité. Celle apparemment d'une personne âgée. Mon nom ne lui dit rien. Elle me donne le sien. À cet instant, je redeviens le petit garçon *aux cheveux noirs et frisés*. Rien dans mon passé n'est effacé, ne s'effacera. Je m'empresse de parler à cette dame de Paco et Rosita... Fébrile, je raconte mon histoire. Beaucoup sont décédés depuis longtemps mais je me rappelle tout à coup certains membres du personnel : Yvonne, Gérard, qui s'occupaient des pensionnaires enfants ! J'évoque aussi un jeune moniteur belge dont le prénom revient à ma mémoire : Michel.

La conversation téléphonique donne peu de résultats. La dame dit qu'elle va faire des recherches, consulter de vieux registres sur lesquels sont inscrits les noms d'anciens pensionnaires. Mon espoir de retrouver Paco et Rosita est faible. J'ignore leurs noms de famille.

Pourquoi n'ai-je pas pris contact plus tôt ? Je m'en veux, me déteste. Je me trouve nul, indigne. Je finis par m'insulter. Un sentiment d'impuissance me saisit et me torture dès cet instant. Moi qui me croyais un homme aux qualités humaines rares (quelle prétention !), j'en viens à me haïr. J'ai tout raté. Je le sais. Je dois écrire le mot « fin » à cette période de ma vie qui n'arrive pas à s'effacer.

En Avignon, je commence mon spectacle ainsi :

« Ce soir je vais ouvrir la porte de mon jardin secret et de mes rêves intimes... »

Et le termine par ces mots :

« Je continuerai à rêver en rouge et noir pour atteindre, comme l'écrivait Federico, la liberté toute nue... »
Et de conclure :
« Sans oublier que rien n'est plus vivant qu'un souvenir... »

Paco et Rosita ont-ils eu écho de mon spectacle ?
Je ne le saurai jamais...
Mais je reste persuadé qu'ici a commencé et n'a cessé de se répéter mon histoire. Inlassablement.
Lors de la tournée qui s'ensuit, Pedro, l'ingénieur du son qui m'accompagne, me confie que son oncle travaillait à l'office du tourisme de Jaén ! Il m'apprend également une chanson du XVe siècle : « Las Tres Morillas de Jaén ». Jaén, bien plus qu'une ville espagnole pour moi...
J'interprète cela comme un signe. J'ai bien conscience à l'instant où j'écris ces lignes de la puérilité de mon récit... mais le raconter n'est pas inutile. Il restitue les moments importants de mon existence et les rencontres qui ont marqué ma jeunesse. Je pourrais vivre cent ans que je raconterais encore et toujours mon histoire, mon caprice espagnol...

Qui me délivrera de ces saletés liées à mon enfance, de toute cette crasse, qui encombrent mon esprit en un va-et-vient permanent, ne me laissant aucun repos ? Qui éloignera ces souvenirs de merde qui font de moi un être sans cesse insatisfait, un être « bricolé », en faux bois, en contreplaqué, un être en recherche d'un socle d'amour immortel, en cette période immonde ? Je m'accroche à nouveau à « un socle d'amour immortel, en cette période immonde ». Qui trouver ? Peut-être cette femme, Muriel, avec laquelle j'ai rendez-vous. Je la connais à peine ; pourtant elle a accepté de me rencontrer, de partager cette soirée

avec moi, de dialoguer avec moi, de faire l'effort de ponc-
tuer mes phrases par des «je te comprends», «je me mets
à ta place», «tout cela est si brutal»... Au restaurant, nous
nous raconterons des bribes de nos petites vies, car il n'y a
pas de «grande vie». Nos mains s'effleureront quand mala-
droitement nous échangerons nos crèmes caramel – l'une
des deux sera trop brûlée. Préoccupé par moi-même, je lui
poserai peu de questions. Quelles seront-elles? Je n'en ai
aucune idée. Je dois seulement être moi, naturel! Là se
pose le problème... À quels instants sommes-nous natu-
rels au regard des autres? En quel moment d'exception
l'ai-je été? Toujours? Jamais? Seule Patoche, ma chienne,
donne l'exemple par l'affection constante que je lis dans
son regard.

Je ne peux pas rester avec ce silence autour de moi.
Je vais écouter de la musique, des CD que Kirsten appré-
ciait: Sibelius, compositeur finlandais. Puis j'enchaînerai
avec la *Symphonie du Nouveau Monde*, de Dvořák. Je la
mettrai à fond, histoire que toute la rue entende. Je vais
ouvrir en grand les fenêtres. Je n'oublierai pas Smetana et
sa *Moldau*! Ces compositeurs nordiques, Kirsten les aimait
tant... J'introduis le CD de Sibelius dans la chaîne hi-fi. Son
au maximum. Mes mains en porte-voix, je crie à la fenêtre,
aux rares passants de cette rue si calme:
«Vous entendez? C'est la musique que Kirsten
aimait, celle qu'elle écoutait quand ELLE ÉTAIT VIVANTE!
C'étaient ses goûts! Écoutez bien... Vous n'entendrez plus
rien! C'est fini!»
Tout à coup, j'éprouve de la honte. Un couple de
vieilles personnes passe et regarde vers ma fenêtre. Je la
referme vite.
Patoche aboie; elle hurle. Je la caresse; elle se calme.
J'arrête la musique. Je préfère le silence. Patoche aussi.

Je perds pied. Muriel, quel genre de musique aime-t-elle ?
Nous échangerons nos points de vue. Et, s'ils sont très
différents, nous négocierons.

« J'échangerai Chopin et ses *Nocturnes* contre... »

Non, je n'échangerai pas les *Nocturnes* de Chopin.
Le père de Kirsten les lui jouait quand elle était enfant. Elle
avait gardé ses partitions. Elles sont sur le piano. Il n'a pas
été ouvert depuis le jour maudit.

Non, je m'en fous, je n'aborderai pas le « domaine
musical »... Il est bien trop important pour moi.

Une douce mélodie

Un dimanche après-midi, je regarde une émission de télévision sur l'Espagne. Tout à coup, une chanson me bouleverse. Une voix chante sur des images de champs d'oliviers. Cette mélodie si belle fait monter en moi une émotion que je ne peux contrôler, qui me submerge. Je garde les yeux fixés sur le téléviseur jusqu'à la fin de l'émission. Je veux connaître le nom du chanteur et celui de l'auteur du texte. Enfin ils apparaissent au générique : l'un s'appelle Paco Ibáñez, grand chanteur libertaire ; le poète, lui, se nomme Miguel Hernández. Un jeune berger gardien de chèvres mort pendant la guerre civile. Tous les Espagnols connaissent « Andaluces de Jaén ». Tous.

Quelque temps après, j'ai la chance de rencontrer Paco Ibáñez et de déjeuner avec lui. J'ai projeté de l'inviter à tourner dans un film qui raconte un épisode de mon histoire personnelle.

Quant à la chanson, elle vient de loin et a fait un long chemin pour venir jusqu'à moi, prendre possession de mon âme d'enfant. Je n'ai de cesse de la chanter. Bien des mystères bienveillants sommeillent en nous. Oui, je reste toujours un enfant. À vingt, trente, cinquante ans et plus, je suis un enfant. Je mourrai enfant.

À une période de ma vie, je n'avais personne à qui confier mon obsession de l'Espagne. J'ai commencé à jouer quelques airs de guitare enseignés par Jacques, un camarade de classe. Lui avait la chance de suivre des cours avec un professeur.

Je n'ai pas d'argent pour cela. Il le sait. Il m'invite chez lui et me donne quelques notions de musique. Je suis avide de jouer de cet instrument. La guitare me fascine. Je l'écoute et j'admire sa dextérité, la rapidité de ses doigts sur les cordes en Nylon, sa patience pour les accorder... Je me souviens des titres qu'il interprète : une chaconne et une gavotte de Jean-Sébastien Bach, une bourrée de Robert de Visée, professeur de guitare du roi Louis XIV (il n'existe pas d'enregistrement du roi, dommage), et aussi des mots nouveaux pour moi, comme « arpèges ». À quinze ans, je rêve de devenir un grand guitariste, comme Alexandre Lagoya et sa femme, Ida Presti, Andrés Segovia ou Narciso Yepes qui, dans le film de René Clément, *Jeux interdits*, joue cette si belle « Romance » dont la pureté fait naître chez moi, à chaque fois, des larmes. Ces grands maîtres, nous allons les écouter, Jacques et moi, salle Gaveau, à Paris. Nous prenons place au dernier rang ; l'acoustique est parfaite. Un de ces soirs de concert, j'ose m'aventurer dans la loge d'Andrés Segovia afin de lui demander un autographe. Trop d'admirateurs se pressent devant sa loge ! Ils se bousculent pour une signature sur le programme de la soirée ou une partition musicale qu'ils lui tendent désespérément... Son récital est si beau, un moment de grâce, comme devrait être l'existence qui s'ouvre devant moi... Je trouve ces gens vulgaires et renonce. Fin du rêve. Chacun rentre chez soi. En chemin, nous évoquons la « Danse du meunier », de Manuel de Falla. Tous les titres des morceaux joués par le maître sont imprimés sur le programme de la soirée acheté par Jacques. En nous séparant, il déclare :

« Je vais demander à mon professeur de m'apprendre ce morceau ! »

Je l'envie.

Peu de jours après, Jacques sort de son cartable, avant un cours d'espagnol, une double partition musicale avec les notes des accords écrites sur une portée à l'encre bleue.

« Tiens, c'est pour toi. Ce sont les accords de la *farruca*. Je te montre, c'est facile !... »

Je conserve longtemps la partition. Puis la perds. En revanche, je me souviens encore des accords.

Au moment où j'évoque la *farruca*, Paco et Rosita parlent-ils aussi du petit garçon rencontré par hasard par-delà les années ? Paco joue-t-il de la guitare ?

Toujours présentes, l'Espagne et la musique me suivent, silencieuses, sans que j'aie besoin de les appeler. Devinent-elles qu'elles me manquent ? Un visage se présente un jour à moi sous le nom de M. Gazo. Notre nouveau professeur d'espagnol. Nous sympathisons très vite.

À la fin d'un cours, je lui confie mes velléités de musicien. À mon étonnement, et pour mon plus grand bonheur, il me dit jouer aussi de la guitare, être l'ami de plusieurs guitaristes célèbres, dont Narciso Yepes. Devant mon enthousiasme et mon intérêt sincère pour cet instrument, il me propose de venir lui rendre visite un jeudi après-midi où je n'ai pas cours. Ce que je fais. Il habite au dernier étage d'un bel immeuble de la rue de Rivoli, devant le jardin des Tuileries, dans une chambre minuscule avec sa jeune femme et leur bébé. J'emprunte l'escalier de service et grimpe les six étages.

M. Gazo me joue tout son répertoire espagnol. Assis sur un tabouret, accoudé à leur unique table, entre leur lit et le berceau du bébé, j'écoute le cœur battant les notes, les arpèges, le son de cet instrument d'où sort cette musique magique qui me transporte si loin. J'ai envie d'applaudir à la fin de chaque mélodie. Je n'ose le faire. Mes lèvres murmurent juste :

« Encore, s'il vous plaît... »

Combien de temps M. Gazo et son épouse restent-ils à cette adresse où ils se sont réfugiés ? Je ne sais plus. Par leur évocation, l'Espagne se rappelle encore à moi... Il m'arrive de passer rue de Rivoli. Chaque fois, je sens en moi comme une force qui me pousse à monter jusque chez M. Gazo, après tant d'années. Comme un rêve agréable qui revient et dont l'image est toujours la même ; je frappe à sa porte, il ouvre, je ne le vois pas et lui dis :

« Bonjour, monsieur Gazo, vous vous souvenez de moi ? J'étais votre élève... Vous me jouiez de la guitare. Je suis venu vous saluer comme je salue tous ceux qui m'ont fait du bien dans ma vie. »

Je reste sur le palier éclairé par une faible ampoule.

Il me regarde un long moment... Je ne le vois toujours pas. Il murmure des mots, des phrases bienveillantes. Je ne les entends pas.

Je reste immobile, hésitant, devant sa porte.

Il la referme doucement.

Je redescends l'escalier, sur un air de guitare qu'il me joue.

Et je retourne à la rue bruyante.

L'émoi

Je sens que je vais me traîner lamentablement à ce rendez-vous. Pour y faire bonne figure ? Déjà, je dois accepter ma gueule, ce qui me demande un gros effort. Je n'ai jamais supporté mon physique. Parfois, Kirsten me disait :

« Tu es beau, mon petit fou ! »

Je faisais semblant de me défendre :

« Moi, beau ? Tu te trompes, Kirsten. Fou, d'accord, mais beau... Mon amour, tu me déçois, moi qui pensais avoir épousé une femme de goût ! »

C'était un petit jeu entre nous. Ce jeu peut-il continuer avec une autre femme ? Du temps de mon adolescence, la rumeur disait que je faisais rire les filles. Lesquelles ? C'était il y a longtemps. Sont-elles encore vivantes ?

Un vers du *Misanthrope* : « Ah, ne plaisantez point, il n'est pas temps de rire[1] ! »

Je ne plaisante pas, je n'ai pas envie de rire. Chaque jour, autour de moi, des personnes que je croise me saluent avec condescendance.

---

1. Molière, *Le Misanthrope*, in *Œuvres complètes I*, Bibliothèque de la Pléiade, 2010.

Je devine leurs pensées :
« Le pauvre, il a mauvaise mine !
— Oui, une vraie tête d'enterrement ! »
Chaque fois, j'ai envie de les tuer, de les étrangler sur place, leur dire avant qu'elles rendent leur dernier soupir :
« Excusez-moi, je l'ai fait EXPRÈS, je n'ai pas pu résister, je savais que cela arriverait, c'est tombé sur vous. Vos pensées résonnent comme des milliers d'insultes dans mon cerveau malade, malade de l'absence d'une personne que vous ne connaissez que par ouï-dire, n'est-ce pas ? Vous avez lu son nom dans la chronique nécrologique du bulletin municipal. Un conseil : à l'avenir, si vous survivez, ne croisez pas mon chemin. »

Je n'arrive pas en retard, j'ai horreur de l'être. Muriel m'attend au pied de son immeuble. Elle porte ce soir-là un chemisier blanc sous une jolie veste de plusieurs couleurs (je suis incapable de décrire ses vêtements davantage). Il est 20 h 15. Je me suis garé non loin de chez elle. Je sors de ma voiture, ferme la portière et marche dans sa direction. Je m'arrête à un mètre d'elle.
« J'avais peur d'être en retard à cause des embouteillages ! »
C'est ma première banalité de la soirée. J'en dirai d'autres.
« Bonsoir, Mu... Je sais que tu n'aimes pas ton prénom. Si tu le souhaites, nous pourrions en trouver un autre... Pas ce soir bien sûr. On a le temps... »
Pourquoi ? Pourquoi dire « on a le temps » ? Quel sens donner à pareille expression ? Cela signifie-t-il que nous allons nous revoir ? Je me mords la langue. Discrètement, j'en souffre. Je suis dans les marais poitevins, je m'enfonce dans les marécages, ou la Loire et ses sables mouvants. Dès la première brasse, je sens que je vais me noyer. Elle me tend la main.

« Bonsoir.

— Allons à pied au restaurant... C'est à deux pas.

— Si tu veux... J'aime bien marcher. »

Là, je pense à Jonathan et Isabelle. Ils ne m'ont pas rappelé. Ont-ils eu mon message ? Sont-ils fâchés ? Font-ils la tête ? Quelles questions me poseront-ils ? « Alors, il va bien, Jean-Louis ? Et sa femme ? Elle était malade à une époque, non ? » (Je remarque qu'il y a toujours « une époque » où l'on est malade.)

Nous marchons en silence, Muriel et moi. Je me souviens mal de cette marche silencieuse vers le restaurant.

Nous attendons pour traverser une grande avenue à deux feux rouges – l'un me semble très long. Je me sens obligé de dire :

« Si ça continue, on va être forcés de passer au vert !

— Non ! Je préfère attendre le feu rouge. »

Elle se tourne vers moi et avec un sourire ajoute :

« Il faut être patient ! »

Je ne le suis pas, c'est sûr ! La patience est une qualité que j'ignore.

Je garde peu de choses en mémoire de cette première soirée au restaurant chinois avec Muriel. Autour de moi, le décor m'indiffère. Les lampions rouges, les pompons, les montagnes chinoises peintes ou encadrées sur les murs n'incitent pas au voyage. Le maître d'hôtel, que je connais, nous propose une table à l'écart des autres. J'accepte sans enthousiasme. Au fond de moi, je pense à Jonathan et Isabelle. Ils devaient m'emmener dîner, mais où ?

Au début du repas, nous choisissons des nems ; ces rouleaux à tremper dans une sauce qui laissent les doigts poisseux et gras même nettoyés avec des rince-doigts. Quand arrivent des clients et que j'entends la porte du restaurant s'ouvrir, par réflexe, je tourne la tête et je sens mon cœur battre plus vite. Je deviens incohérent dans mes réponses ou mes questions. Heureusement, Muriel n'a pas l'air de s'en apercevoir.

Kirsten veille toujours sur moi et me demande de décrire Muriel, bien qu'elle l'ait déjà vue : dans ma tête, les mots arrivent, se bousculent puis disparaissent. Cette jeune femme brune a les yeux marron clair, les traits du visage fins, des lèvres très minces, un petit nez.

Au cours du dîner, elle parle peu, évoque sa famille italienne réfugiée en France, venue de la région méridionale appelée les Pouilles. En l'écoutant, je pense à Cavanna et à son livre *Les Ritals*. Elle confie avoir voulu faire des études littéraires : son père en a décidé autrement... Ses études de comptabilité lui ont donné accès au fil des années au poste d'administratrice de production dans le métier du cinéma.

« Et toi ? demande-t-elle d'une voix douce.

— Moi, je ne voulais pas travailler. Le seul mot de "travail" me faisait horreur. J'étais terrorisé à l'idée de rester toute la journée dans un bureau, ma vie durant. »

À cet instant de la conversation, mon angoisse revient en me rappelant mon adolescence. J'esquive le sujet et raconte la période heureuse, celle où je suis reçu à un examen d'entrée à un cours d'art dramatique. J'y reste trois ans. Trois ans de bonheur volés au travail. J'ai vingt et un ans. Je rencontre Kirsten.

Être acteur est mon désir secret depuis que ma grand-mère m'a emmené au cinéma voir *Jeux interdits*, la triste histoire d'un petit garçon et d'une petite fille, au sortir de la Seconde Guerre mondiale. Le jeune acteur s'appelle Georges Poujouly. Un autre film décide également de ma carrière : *Le Garçon sauvage*, un enfant qui, comme moi, déteste un des « amis » de sa mère. Le couple est joué par Madeleine Robinson et Franck Villard. Je m'identifie au jeune garçon, et à sa situation qui ressemble étrangement à la mienne – Pierre-Michel Beck l'incarne.

L'Espagne imaginaire

« E n ce temps-là, j'étais en mon adolescence »
(comme l'écrit Blaise Cendrars[1]), je me posais
de nombreuses questions quant à l'organisation de la
société. Au cours de ma vie, je n'ai jamais obtenu, hélas, les
réponses satisfaisantes que j'étais en droit d'espérer, et je
n'ai pas fait d'études. Ainsi, nous étions quittes. Dans toutes
les matières, au fil des jours, mes notes furent mauvaises,
médiocres, nulles. Excepté en espagnol... Non ! Je pense à
trop de choses pour penser à mes études... D'ailleurs, elles-
mêmes ne pensent pas à moi.

Avec ma naïveté d'adolescent, je souhaite alors de
toutes mes forces changer le monde. Je le veux juste et
bon. Je veux débattre, discuter, convaincre, comprendre ce
monde qui se révèle à moi dans sa violence quotidienne,
permanente...

Venger le peuple espagnol, la République, de tout cela
je rêve, j'espère. Ma vérité, ma sincérité sont là ! J'espère
même que Paco et Rosita seront un jour de retour dans leur
pays, au sein de leur famille. Rosita dansera dans sa robe

---

1. Blaise Cendrars, *La Prose du Transsibérien et de la petite Jehanne de France*,
PUF, 2011.

noir et rouge sur la place de son village de Catalogne ou d'Andalousie tandis que Paco chantera à la nuit tombée un air de flamenco... ou une chanson de Federico, « La tarara ». Quel âge avaient ces amis si vite partis, éloignés de moi ? Dans les quinze ans... Ces enfants dont je suis sans nouvelles continuent de vivre en moi. Quand je pense à eux, sans doute pensent-ils eux aussi à moi. Rosita demande-t-elle à Paco :

« Tu as des nouvelles de Daniel ?

— Non... Et toi ?

— Non. J'aimerais le revoir...

— Moi aussi... »

Cette conversation imaginaire me donne du courage, un souffle d'espoir.

Plus tard, en y réfléchissant, je trouve mon voyage imaginaire ridicule.

Tout dans ma vie s'entremêle.

Des signes perceptibles commencent à nouveau à émerger de ma mémoire. Ils me montrent le chemin tracé par Paco et Rosita pour arriver au collège Turgot à Paris, en classe de quatrième...

Depuis deux ans, la langue de Shakespeare se refuse à moi et me cause bien du souci...

J'ai choisi l'espagnol comme seconde langue. En souvenir de ces enfants ? Sans doute... C'est bien moi, pourtant, qui fais ce choix ! Lorsque j'écris que tout, dans ma vie, s'entremêle, je pense à mon premier professeur d'espagnol, qui enseigne aussi le français et les mathématiques. Quand il entre dans la salle de classe, pour se présenter à nous, le premier jour de la rentrée, il écrit son nom au tableau :

« Je suis originaire d'Algérie. Je m'appelle Mohamed Belhalfaoui. »

À l'énoncé de son nom, les trente-deux élèves, moi compris, éclatent de rire... M. Belhalfaoui se retourne calmement et d'une voix douce s'adresse à nous :

« C'est un nom comme un autre... »

Il le souligne au tableau.

Des années plus tard, cette phrase, répétée sûrement des dizaines de fois au cours de sa carrière, résonne en moi comme une souffrance, une défense devant ses nouveaux élèves.

« Un nom comme un autre, Belhalfaoui. »

Comme Merlin, Bernet, Léger, Odic, Hutin, Chevalier (le nom de mon grand-père : Auguste Chevalier)...

Je n'ai pas oublié ce nom, Belhalfaoui.

Dès cette première année d'initiation à l'espagnol, je suis bon élève, j'apprends bien cette langue, dont les verbes irréguliers. J'essaie de comprendre la nuance qui existe entre les verbes *ser* et *estar*... Être ou être, telle est la question. Cette nuance est restée une énigme pour moi !

Notre professeur enseigne d'une voix douce mais faible. Dans ma classe, un groupe d'élèves chahuteurs, sous prétexte qu'ils ne l'entendent pas, l'interrompent par des : « Comment ?... Encore !... Plus fort, monsieur ! »

Certains vont même jusqu'à s'amuser avec son nom :

« Vous pouvez répéter, monsieur Be-fallal-oui ? »

D'autres jouent avec le « oui » :

« C'est Belhalfa-oui ou Belhalfa-non ? »

Excédé d'entendre son nom écorché pour la énième fois de la journée, M. Belhalfaoui sort d'une poche de son costume noir un trousseau de clefs et, d'un geste brusque, le lance sur le pupitre d'un des élèves chahuteurs. Le bruit sec que fait l'objet atterrissant à quelques centimètres de l'élève fait cesser le bazar organisé. L'élève visé doit rapporter le trousseau à M. Belhalfaoui qui, retenant sa colère, lui ordonne, d'une voix blanche :

— Répète mon nom correctement, s'il te plaît...
Répète après moi : Be-lhal-fa-oui ! Répète...
Le calme revient dans la classe.

Je le découvre plus tard : M. Belhalfaoui est écrivain.
Il a publié *La Poésie arabe maghrébine d'expression populaire*, et des souvenirs, *Victoire assurée*. Un grand homme,
parti en 1993, dont je salue la mémoire. Il a transmis sa
passion de l'écriture à sa fille, Nina Hayat, journaliste et
auteur de *L'Indigène aux semelles de vent*, qui s'est éteinte
en 2005...

Dans cette classe, je ne participe pas au chahut.
Je veux lui faire plaisir. Je ressens tellement l'injustice dont
il est victime.

Quant à la langue de Shakespeare, malgré la bienveillance de mon professeur d'anglais, je n'y trouve toujours pas
l'intérêt éprouvé pour la langue de Cervantès. En feuilletant
mon livre d'espagnol, je découvre quelques images en noir
et blanc de l'Espagne accompagnées de légendes : Séville, ou
une procession pendant la Semaine sainte ; Madrid, ou une
gravure représentant Don Quichotte et son fidèle Sancho
Pança, et puis Tolède, Barcelone, des champs d'oliviers, des
arènes et un toréador face à un taureau que, dans ma vie
d'adulte, je rêve de gracier... Je voyageais... C'est ainsi que
mon Espagne imaginaire se construit, par des rêves fragiles
et intimes. Mon jardin secret.

Passent les années, les professeurs aussi... Mon professeur d'anglais a écho de chahuts organisés pendant le
cours d'espagnol, celui de M. Nieto, homme de petite taille,
qui parle avec difficulté et dont le cou est entouré d'une
bande d'étoffe blanche, comme un pansement, peut-être
destinée à soulager ses cordes vocales. Il martèle sans cesse

d'une voix forte qu'il est espagnol et qu'il le restera jusqu'à sa mort.

« Yo soy español y hasta la muerte yo seré español ! »

Notre professeur d'anglais nous rappelle que beaucoup d'Espagnols ont tout perdu en fuyant leur pays : famille, métier, maison. Nous devons nous en souvenir. Ce jour-là, ses mots sonnent juste et nous sommes émus. Je repense à Paco et à Rosita. Je ne savais rien alors de leur propre souffrance. Je m'en sens coupable. En regardant mes camarades, je sais que je possède un secret qui ne sera jamais révélé.

Avec Paco et Rosita, l'Espagne continue d'être là, discrète mais fidèle, sans jamais montrer son visage, veillant sur ma solitude.

M'ont-ils oublié ? Ce souvenir « constant » ne veut pas s'effacer. Il ne cesse de revenir. Si j'ai la chance et le bonheur de les retrouver, je vais les étonner en leur parlant espagnol ! Et nous serons heureux tous les trois... Je m'accroche à cette idée. Je rêve et souhaite que jamais rien ne la ternisse. Calderón a bien écrit *La vie est un songe.*

Si je n'aime pas les études, elles me permettent de renouer avec l'Espagne, de me rappeler la guerre que ce pays a traversée, l'enfer que les Espagnols ont vécu – Paco et Rosita en premier. Les livres aussi, à cette époque, m'ouvrent sur le monde, notamment sur la guerre civile.

J'ai lu, comme mes contemporains, les livres d'Albert Camus, Jean-Paul Sartre ou Louis Aragon... Également *L'Espoir*, d'André Malraux, qui raconte un épisode de la guerre civile espagnole. Je me souviens du premier chapitre sur la guerre de transmission des deux camps, entre franquistes et Brigades internationales, s'insultant par radio. Les uns crient « *Viva la muerte !* », les autres « *No pasaran !* »... Ils passèrent.

Je retiens la dernière phrase de ce chapitre : « Puig, caché par son turban, effondré sur le volant, tué[1]. » Je trouve violente la mort de cet anarchiste, personnage auquel je me suis attaché et identifié et pour lequel j'ai éprouvé au fil des pages de l'amitié.

Un véritable transfert.

Toute ma vie, chaque fois que le mot « Espagne » résonne à mon oreille, j'ai le sentiment que c'est à moi qu'il s'adresse.

Dans cette histoire personnelle, marquée par un besoin d'ouverture et de révolte contre les injustices, les samedis après-midi, Robert, mon père adoptif, l'intrus, m'emmène au siège de la Confédération nationale du travail, la CNT, à Paris, rue Sainte-Marthe, une rue proche du passage du Buisson-Saint-Louis.

Je me souviens : l'année de mes quinze ans, ma mère et lui me rapportent ma première guitare d'un voyage touristique en Espagne. Quelque temps après, repensant aux opinions politiques de l'intrus, je m'interroge plus d'une fois sur la signification de ce voyage. Il est anarchiste et se dit militant, connaissant l'histoire récente de l'Espagne et de la guerre civile. Aujourd'hui, j'ai la certitude que ce voyage était en contradiction avec ses convictions.

La CNT, c'est un petit local, un lieu de rencontres où les exilés espagnols se retrouvent et échangent des nouvelles de leur pays perdu. Un nom revient souvent : celui de Durruti, responsable anarchiste, tué dans des circonstances troubles. S'y regroupent les militants anarchistes de la FAI (Fédération anarchiste ibérique) qui ont lutté contre les troupes du général Franco, également contre

---

1. André Malraux, *L'Espoir* in *Œuvres complètes II*, Bibliothèque de la Pléiade, 1996.

les trotskistes du POUM, des communistes et bien d'autres encore.

Je sympathise avec certains d'entre eux et me lie d'amitié avec un vieux militant espagnol. Je lui fais part, avec mon enthousiasme d'adolescent, de ma volonté de me rendre utile à l'Espagne en continuant le combat. Il évoque, avec pudeur et en quelques phrases, son expérience douloureuse, sa femme et ses trois enfants morts à Teruel, ses camarades tués le dernier jour de la guerre civile. Son récit me rappelle Federico, assassiné aux premiers jours... Mon ardeur en prend un coup. J'ai honte. Cet homme a le pouce de sa main droite arraché par un éclat d'obus. Je garde de lui le souvenir d'un homme doux, très bon, la tête toujours coiffée d'un béret. J'ai oublié son nom et son prénom, je revois juste les traits de son visage, et j'entends sa voix, douce elle aussi lorsqu'il cherche ses mots en français.

Il me dit :

« Pense à tes sétoudes, Daniel... »

Revenir à la réalité. Mes « sétoudes »... Mes études !

Face à cet homme qui me raconte son combat et ses deuils, j'ai pour la première fois conscience de l'arrogance de mes propos. Quelle prétention ! Qui suis-je pour déclarer la suite du combat, moi que le mot « fusil » terrorise ?

C'est le premier adulte auquel je me confie et qui m'offre son amitié. Il me présente un de ses camarades du nom de Carboneti, un homme d'âge mûr, presque aveugle des suites de la guerre. Il porte de grosses lunettes, chaque verre est de l'épaisseur d'une loupe. Je distingue encore dans ma mémoire sa chemise blanche. Il écoute, pensif, parle peu. Ses camarades le respectent. Lorsqu'ils passent près de lui, ils le saluent d'un « *Ola, Manuel !* ».

Dans cette petite salle, il est assis sur un tabouret, près d'une fenêtre. Mon vieil ami me dit que c'est un responsable important de cette histoire espagnole qui pour beaucoup d'entre eux est encore loin d'être achevée. J'essaie d'obtenir des informations sur son rôle dans cette organisation. En vain. À cause de mon jeune âge, peut-être ?

Cet homme me donne lui aussi son amitié sous la forme d'un cadeau, enveloppé dans un exemplaire du journal *Le Monde libertaire*, un samedi après-midi, quand j'arrive au local. C'est une petite peinture sur bois, de sa composition, où les couleurs rouge et noir dominent. Je l'embrasse en lui disant *muchas gracias...*

Rouge et noir, des couleurs encore perceptibles pour cet homme presque aveugle. Les couleurs de sa vie, de son engagement...

Un jour, je ne le croise plus. Le tabouret sur lequel il a l'habitude de s'asseoir reste inoccupé. Je m'inquiète. J'apprends qu'il s'est retiré en Corrèze chez des amis espagnols ; ce qui me rassure. J'ai parfois de ses nouvelles par des camarades qui lui rendent visite et, sûrement, reçoivent des conseils de ce vieux militant. Un camarade de temps en temps me dit ainsi :

« Tu as le bonjour de Carboneti ! Il m'a demandé comment tu allais, Daniel, si tu vas toujours à l'école... »

J'éprouve de la fierté. L'homme se souvient de moi... Quelqu'un pense à moi !

J'ai conservé, sur un rayon de ma bibliothèque, cette peinture sur bois. Je la contemple souvent. Elle est de forme ovale. Au dos, Carboneti a fixé un petit crochet afin de la suspendre au mur. C'est tout ce qui me reste de lui et de ses justes combats. Jamais je n'ai égaré ce cadeau au cours de mes nombreux déménagements ; objet précieux dont je ne saurai me séparer. D'autres de ses camarades sont partis en exil : Amérique du Sud, Argentine, Venezuela, Mexique, des îles lointaines dont les noms me font rêver comme Cuba...

Un samedi après-midi, le petit local est rempli d'hommes et de femmes qui attendent la venue d'une personne importante. La porte s'ouvre, les murmures cessent. Entre un homme. Des applaudissements timides puis chaleureux retentissent de toutes parts. On demande le silence puis on souhaite la bienvenue en espagnol. Mon vieil ami me dit à voix basse :

« Cet homme est un acteur très connu en Espagne. Il a dû fuir son pays ; la police de Franco le recherche pour activités anarchistes... »

Ce n'est pas le militant anarchiste espagnol que j'admire : c'est l'acteur à deux pas de moi ! Magique, comme une soudaine apparition. Tout à coup, je ne pense plus à la guerre ; je suis ailleurs, très loin. Je suis entré dans des contrées pacifiques, peuplées de textes poétiques et de personnages de comédie classique, ceux enseignés par mon professeur d'art dramatique, Harry Krimer (qui a interprété le rôle de Rouget de Lisle dans le film *Napoléon*, d'Abel Gance). Oui, je me suis inscrit en cachette de ma mère au conservatoire de la mairie du 10e arrondissement de Paris. L'acteur espagnol me fait penser à mon professeur. Malgré son passé, sûrement douloureux, son visage paraît tranquille. Ses cheveux sont noirs, il porte un costume beige et des lunettes. Quelques voix lui demandent :

« *Un poema, dije nos un poema.* »

Mon ami traduit :

« On lui demande un poème, *por favor*, s'il vous plaît, dites-nous un poème ! »

L'homme, sans se faire prier, monte sur la petite estrade de la salle, enlève ses lunettes et commence d'une voix grave :

« *La luna vino a la fragua...* »

« La lune vint à la forge », ce poème, « Romance de la lune, lune[1] », je l'apprends par cœur bien après. Quand

---

1. Federico García Lorca, « Romance de la lune, lune », in *Romancero gitan* in *Œuvres complètes I*, Bibliothèque de la Pléiade, 1981.

je le lis en français, je suis fasciné, au-delà des analyses multiples et subtiles que l'on peut en faire, par la strophe évoquant l'image des fiers Gitans, « bronze et rêve », qui arrivent à travers l'oliveraie.

Qu'est-il donc devenu, cet acteur espagnol réfugié ? A-t-il trouvé des rôles ? Quel fut son avenir en France ?

Je suis à nouveau rattrapé par mon histoire personnelle et secrète...

Alors que je joue en Avignon mon spectacle *Federico, l'Espagne et moi,* je reçois des dizaines de lettres d'Espagnols, dont les parents et les grands-parents ont combattu pour défendre la République. Une lettre me parvient d'un vieil Espagnol. Il m'a vendu le livre *Platero y yo* à la CNT bien des années auparavant... *Platero et moi,* l'histoire d'un petit âne et sa vision du monde, écrite par le grand poète Juan Ramón Jiménez. À la fin de cette lettre, il confie avoir été déporté (Mauthausen, je crois). À l'époque, j'ai acheté aussi un petit fascicule dont la couverture était rouge et au dos étaient imprimés les mots « Cruz Roja Española », Croix-Rouge espagnole... C'était le *Romancero gitan,* de Federico García Lorca. Une fois encore ces mots de Cruz Roja Española me renvoient à la guerre civile et naturellement à Paco et à Rosita. Je n'ouvre pas les pages du *Romancero* ce jour-là, mais par ce geste je me rapproche de l'Espagne. Quelques décennies plus tard, je récite le poème de « La femme adultère ». L'année de mes quinze ans, j'en ai déjà retenu quatre vers :

« Cette nuit me vit galoper
De ma plus belle chevauchée
Sur une pouliche nacrée
Sans bride et sans étriers[1]. »

---

1. Federico García Lorca, « La femme adultère », in *Romancero gitan, op. cit.*

Je n'en comprends pas le sens et reste perplexe. Avec le recul, c'est plus clair : de la CNT me revient l'image d'une jeune femme espagnole. Mon père adoptif la « drague » sans se préoccuper de ma présence. Cette femme est très belle, grande, élancée, avec des crans dans ses cheveux bruns et abondants. Elle a un beau sourire. Il la fait rire, glousser... Elle s'appelle Eugenia, Eugénie. Comme ma grand-mère. J'essaie de ne pas trop penser à ma mère qui, pendant ce temps, fait la lessive du samedi après-midi dans le petit appartement où nous habitons, à Belleville. Cela se passe avant que des réunions sur divers sujets commencent : solidarité, messages à transmettre, nouvelles de camarades restés en Espagne, emprisonnés, garrottés, recherchés, en fuite...

À cette période de ma vie, je conserve en moi ce secret, ce caprice espagnol. Je grandis, vieillis, ne deviens pas « raisonnable » mais adulte. Petit à petit, j'abandonne ma période de jeune militant anarchiste, considérant que ma petite personne n'a aucune chance de rendre le monde meilleur. J'ai tort. Mais l'idée libertaire demeure ancrée en moi. Peut-être lui suis-je resté, inconsciemment, fidèle dans mon comportement public. J'ai été toute ma vie considéré comme fou furieux, farfelu, hystérique, ingérable, trublion, indomptable, électron libre – que sais-je encore ?

« Ne pas être anarchiste à seize ans, c'est manquer de cœur », dit le poète George Bernard Shaw.

Pourtant le mien est gonflé d'amour.

Mais qui s'en soucie alors ?

L'incompréhension

Je regarde Muriel et mon sentiment est que je ne veux pas « frimer » même si je me sens très mal à l'aise. Je change de sujet. J'évoque mes origines kabyles, dont la difficile recherche m'a obsédé. Nous sommes tous deux des déracinés. Les origines de l'homme et de la femme...

Racines italiennes, racines kabyles, Jonathan kabylo-franco-suédois, tout cela raconté, au mois de mai, dans un restaurant chinois, au beau milieu de Paris, parmi le grand bazar de la vie.

Tout à coup, je me sens mal, ne peux plus parler. Je ressens l'inutilité de ma vie et de ce que je raconte. J'essaie de ne plus regarder Muriel. Elle ne doit pas s'apercevoir de mon trouble.

Entre nous, un long silence. Enfin elle me demande : « Qu'est-ce que tu vas faire, maintenant ?

— Je ne sais pas encore. J'ai de vagues projets. J'ai l'intention de vendre ma maison. Je ne peux plus vivre avec tous ces souvenirs. Excuse-moi, la fin de ce repas est un peu triste, non ? J'ai souvent des images qui me reviennent, comme de vieilles photos sépia qui brouillent ma vision. Tout est si récent. »

Je retiens un sanglot. Sans un mot, elle fait le geste à faire et que je n'attendais pas. Elle pose doucement sa main sur la mienne. Je ne sais pas, ne saurai jamais ce qu'elle pense à ce moment-là, mais je ressens comme un début de soulagement.

Kirsten me souffle : « Tu n'es plus seul. »

Il est près de minuit. Nous sortons du restaurant. L'air est d'une grande douceur, le ciel nous montre ses milliers d'étoiles. Je repense à Paco et Rosita.

« Je te raccompagne, Muriel.

— Merci, demain matin j'ai réunion à la maison de production à 9 heures... »

Lorsque nous arrivons à son immeuble, je lui dis simplement :

« Bonne chance pour ta réunion ! (Une pause.) La prochaine fois, je serai plus gai, je te le promets ! »

Elle a le dernier mot :

« Moi aussi ! Prends soin de toi. Donne-moi de tes nouvelles. D'accord ? »

Il y aura peut-être une prochaine fois...

Elle s'approche, me tend sa joue droite. Je l'embrasse et lui fais un petit signe de la main quand elle se retourne avant d'entrer dans son immeuble. Elle compose le code d'entrée, disparaît sous le porche.

Dans ma voiture, garée à quelques mètres, à voix haute je continue de lui parler :

« Muriel, je ne sais rien de toi ! Es-tu mariée ? As-tu des enfants ? Qu'as-tu fait de ta vie avant de me rencontrer ? Et quel âge as-tu ? Tu es plus jeune que moi, non ? Je n'ose pas te le demander... Je te pose la question en ton absence. »

Je crie. J'attends des réponses qui ne viendront pas ce soir. J'ai besoin de prolonger cette rencontre, notre conversation. Mais je suis seul.

Arrivé dans ma rue, je vois de la lumière chez moi. La voiture de Jonathan et Isabelle est là. Je vais devoir expliquer mon mensonge, s'ils l'ont découvert. Le portail est ouvert. Je monte les quelques marches du perron, ouvre la porte du salon. Patoche se lève de son panier et tourne autour de moi en signe de joie, celle de me voir. Assis sur le canapé en cuir rouge, Jonathan et Isabelle regardent la télévision, main dans la main. Un documentaire sur les éléphants protégés au Botswana. L'existence de ces pachydermes passionne Jonathan depuis qu'il a lu, adolescent, le livre de Romain Gary, *Les Racines du ciel*.

Absorbé par le film, il n'entend pas le bruit de la porte. Isabelle tourne la tête et dit :

« Nous sommes passés vous dire bonne nuit. Nous commencions à nous inquiéter... »

Jonathan lance le premier reproche :

« Tu aurais pu nous appeler ! »

Face à mon fils, je suis sur la défensive. Je pose ma veste sur le dossier de la chaise la plus proche, répondant mollement, d'un ton qui se veut naturel, et l'est bien trop :

« Voyons, les enfants ! Pourquoi s'inquiéter ? Vous avez votre vie ; j'ai la mienne. Je ne fais rien de mal. »

Je répète, je transforme, d'une voix assurée, le mensonge laissé sur la boîte vocale de Jonathan :

« Je suis content d'avoir revu Jean-Louis et Liliane. »

Jonathan, sur un air faussement désinvolte, me demande, sans se retourner, comme s'il voulait éviter mon regard :

« Pourquoi tu nous mens, papa ? »

Debout au milieu du salon, surpris par la question de Jonathan, je garde d'abord le silence. Mon expérience familiale m'a appris à limiter les temps de silence, pour que les dégâts soient moindres. Je m'assieds, joins mes mains, les tords, cherche mes mots. Jonathan aime son père, j'aime mon fils. J'ai toujours eu de très bonnes relations avec lui. Souvent, au dîner, en famille, lorsque Kirsten était parmi nous, nous avons eu de longues discussions, parfois animées, sur bien des sujets. Il nous arrive de ne pas être d'accord. Dans ces moments, je dois trouver le moyen de cesser la discussion pour éviter un conflit familial qui blesserait l'un de nous. Notre famille est restée si soudée jusqu'alors. Et je ne veux pas donner l'image du *pater familias*. Le défaut majeur de Jonathan, hérité de son père ? Il s'énerve et il m'est difficile de mettre fin à son énervement. Je ne sais pas l'apaiser dans pareille situation. Sa maman savait le calmer. De sa voix si douce, avec le bleu de ses yeux, il lui suffisait de dire :

« Jonathan, tu ne crois pas qu'il est temps d'aller te coucher ? »

Jonathan ne résistait pas au regard désolé de sa mère.

En une phrase, le conflit annoncé disparaissait. L'accalmie se présentait et tout rentrait dans l'ordre.

Mais Kirsten n'est plus là. Je suis seul devant Jonathan et Isabelle. Ils font semblant de regarder les éléphants du Botswana alors qu'ils attendent ma réponse à leur question :

« Pourquoi tu nous mens, papa ? »

Je ne vais pas répondre tout de suite, c'est décidé.

Ils forment un très joli couple. Isabelle porte bien son nom. Elle est très belle, en effet. Ses grands-parents sont venus de Hongrie après les événements de 1956 à Budapest. Elle n'a jamais connu la Hongrie, ni ses parents d'ailleurs. Chacun son passé et ses douleurs familiales... Elle a rencontré Jonathan, l'amour de sa vie, voici vingt ans à l'université, à Paris. Ils s'adorent, et en ce moment me tournent le dos. Je dois leur rendre des comptes. C'est bien triste.

Le silence ne peut continuer indéfiniment. Je vais parler. J'ignore ce que je vais dire. Quelle excuse ? Quelle explication ? Jonathan brise, le premier, le silence :

« Tu nous as trahis, papa ! »

La parole n'est pas à la défense mais la défense est K.-O. Audience suspendue – il était temps. Jonathan et Isabelle se lèvent, ils éteignent la télévision. Quelques secondes s'écoulent. Je la rallume. Les derniers paysages du Botswana font place à une publicité pour Meetic. Ils passent tous deux devant moi, m'embrassent furtivement. Jonathan ne me serre pas dans ses bras comme d'habitude. Il sort, suivi d'Isabelle qui laisse la porte ouverte. Je les suis et les regarde descendre les marches du perron de la maison. Dans l'obscurité, j'entends leur voiture démarrer puis s'éloigner...

Je reste sur le perron un long moment, puis je rentre.

J'éteins la lumière extérieure. Je m'allonge sur le canapé. Patoche vient me faire un câlin, le museau sur ma cuisse droite, comme toujours. 2 heures du matin. Je m'endors.

Demain, je recevrai un coup de téléphone de Jonathan. Ou de Muriel...

Je dors toute la nuit sur le canapé. Sans me réveiller. Je ne comprends pas la phrase de Jonathan : « Tu nous as trahis, papa. » Ça m'obsède.

Je repense à la dernière scène du film *Monsieur Joseph*. Il est dans son jardin. Derrière lui, un arbre... Sur une table, avant qu'il se pende, sa dernière lettre adressée au commissaire : « Ce matin, j'ai entendu chanter le merle. »

Dans mon jardin, il y a un vieux cerisier qui donne de moins en moins de fruits au fil du temps. Autrefois, nous faisions la fête des cerises chaque année, un dimanche du mois de juin. Cela a duré quinze ans. Nous invitions tous les Kabyles du pays retrouvé : Mahmoud, Farid, Mezziane,

Hacène, Ali, Amara, Hamimi, Ahmed et leurs familles, Houria, Zuina, Mohand, Hayet. Je vois encore Jonathan avec les nouveaux cousins et cousines du bled, monter sur le cerisier et cueillir ses fruits pendant que les adultes surveillent les barbecues. Les femmes ont apporté des gâteaux et de la galette kabyle. Des instants de bonheur. Nous sommes bien une soixantaine dans le petit jardin. Nous apprenons, Kirsten et moi, les danses kabyles. Je n'ai pas honte. Les femmes du bled ont offert à Kirsten en cadeau de bienvenue trois robes kabyles multicolores qu'elle porte en cette journée de fête. Dans l'air flottent encore les cris joyeux des enfants. Un jour, Kirsten donne des signes de lassitude. Nous cessons de faire la fête des cerises. Deux ans avant son départ brutal.

Et, maintenant, j'aurais trahi mon fils?

Le mot que Jonathan a employé est d'une violence inouïe. Je ne mérite pas pareille accusation. Vais-je lui écrire une lettre sous mon cerisier? Comme M. Joseph – ce rôle que je tiens juste avant la disparition de Kirsten?

Les yeux fixes, devant le jardin, je me sens amer...

Muriel ne me donne pas signe de vie pendant plusieurs jours. Ce qui accentue mon amertume. Parfois, très vite, je pense à elle. Puis, comme une obsession, la phrase de Jonathan revient dans ma tête: «Tu nous as trahis, papa!»

Depuis le soir de la «trahison», les jours sont passés sans la moindre nouvelle de Jonathan. Muriel et lui sont, tous deux, à égalité dans la douleur qu'ils m'infligent. Je leur en veux. Peut-être un peu moins à Muriel, je crois. Je ne sais plus.

Un jour proche ou lointain, il me faudra affronter mon fils, exiger de lui une explication, comprendre cette affirmation qui me fait si mal.

Aujourd'hui, je n'en ai pas le courage.
Je vais partir! Non, fuir, pour reprendre des forces,
réfléchir. Et en déduire quoi? Rien. Le bilan serait négatif.

Que va devenir cette maison de campagne achetée
par Kirsten et moi dans ce petit village de l'Ille-et-Vilaine,
cette maison surélevée d'un étage avec plusieurs chambres
d'amis et salles de bains? Nous l'avons fait restaurer,
passant des moments joyeux jusqu'à l'adolescence de
Jonathan, parti ensuite en Suède pour achever ses études
grâce au programme Erasmus. Notre terrain s'étend sur
une surface de trois mille mètres carrés plantés d'arbres
fruitiers qui «donnent» une saison sur deux. Parfois nous
invitons quelques amis à venir nous rejoindre le temps
d'un week-end, ou pour un anniversaire.
    Dans ma période de renaissance kabyle, nous faisons
un grand méchoui. Nous invitons cinquante personnes
du bled. Ils viennent tous en famille! Hamimi tourne la
broche où cuit lentement le mouton. Certains installent
leurs tentes sur notre terrain afin de passer la nuit. C'est
la fête jusqu'à 3 heures du matin. Le lendemain, ils partent
pour Saint-Denis, Aubervilliers ou Pantin. Ils se suivent
en voiture en une longue caravane. C'est ça, les cousins du
bled! Je fredonne souvent depuis ce temps le morceau de
musique de Duke Ellington «Caravan». La fête est finie,
je me suis senti au village pendant quelques heures. Nous
avons resserré les liens entre nous – j'ai si peur de les perdre.
J'ai effectué mon retour aux sources. À présent, la source
est tarie.

    Pauvre naïf! Tu ne comprends jamais rien! Rien ne
dure, sache-le! Toute chose, toute situation que l'on croit
solide s'effondre un jour ou est détruite. Toi, tu ne fais que
participer à une suite de destructions.

J'aurais donc trahi mon fils ?

Prends ta voiture, fais monter Patoche sur le siège arrière, roule vers ta maison de campagne où tu penses trouver refuge. Tu es on ne peut plus seul. Le bled s'est évanoui. Il a disparu quand Kirsten est partie un jour de pluie. Les Kabyles sont venus assister aux funérailles puis ils se sont eux aussi évanouis un à un dans Paris. Seuls Areski et Luisa, son épouse, rencontrés en Algérie, gardent contact avec moi, toujours.

Je roule vers la campagne, espérant y voir plus clair. Des images m'assaillent.

La rencontre d'Areski et Luisa est mystérieuse. Elle fixe à jamais mon retour au pays.

Je prends la sortie de Fleury-les-Aubrais. Au péage, j'introduis mon ticket dans l'appareil, règle en carte bleue. Je repars et me retrouve, par la pensée, au bled, en Kabylie, à Souk El Had, en compagnie de Kirsten, Jonathan et Da Youssef, le vieux cousin de mon père, chez Salah, le postier de Souk El Had. Là-bas, Da Youssef nous demande de faire une visite de politesse à son ami. Sur la petite place du village, cet après-midi, nous suffoquons de chaleur, attendant que le postier ouvre la porte. Il arrive. Un large sourire illumine son visage, surpris de nous voir. La poste se compose d'un petit guichet. L'habitation se trouve à l'étage.

Nous montons dans son salon et nous nous retrouvons assis sur un canapé, autour d'une table basse, à prendre le café servi par son épouse, Aïcha. Arrive alors un jeune homme aux cheveux bouclés, Areski, le neveu du postier qui, me reconnaissant, surpris par ma présence dans ce petit village de Kabylie, a ces premiers mots :

« Ça, alors ! Monsieur Prévost, qu'est-ce que vous faites là ?

— Eh bien ! Je viens voir ma famille. Mon père était kabyle...

— Ça alors, je ne savais pas...

— Moi non plus. Maintenant je sais. Je suis des vôtres. »

Depuis ce jour, nous sommes amis. Au retour, à l'aéroport d'Alger, nous échangeons nos numéros de téléphone. Nous nous sommes promis de nous revoir à Paris. Ce que nous faisons.

Les mains crispées sur le volant, je roule et me souviens des paroles de « Pauvre Rutebeuf[1] » :

« Que sont mes amis devenus
Que j'avais de si près tenus ? [...]
L'amour est morte. »

Et Muriel qui ne m'appelle pas.

Jonathan, lui, si !

Son numéro s'affiche sur l'écran. Je ne sais pas comment réagir.

Prendre son appel ? Dire : « Je ne veux pas te parler » ? Ne pas répondre ? Le laisser dans l'inquiétude ? Aller au conflit : « C'est quoi cette histoire de trahison ? Tu peux m'expliquer ? »

Je renonce. Mon cœur bat de plus en plus vite jusqu'à ce qu'il raccroche. J'écoute le message laissé sur la boîte vocale :

« Papa, c'est Jonathan, ton fils. Tu peux me répondre ? Tu ne veux pas, c'est ça ? Bon. Je ne sais pas où tu es. Nous n'avons pas de nouvelles de toi depuis cinq jours. Appelle-moi, papa, appelle-nous. Mes paroles ont peut-être été un peu fortes l'autre soir, mais on ne va pas se faire la tête.

---

1. Léo Ferré, « Pauvre Rutebeuf », dans l'album *Le Guinche*, 1956.

Je suis ton fils, tu es mon père, je n'ai pas voulu cette situation. Isabelle est très contrariée. Elle a vu son médecin et sa grossesse ne se passe pas très bien. Elle doit rester allongée. Appelle-nous, oublions tout ça. Je t'aime, papa ! »

Là, je retrouve mon Jonathan, ne sachant pas comment se faire pardonner. Je vais l'appeler, une fois arrivé dans notre maison de campagne, une fois au calme, sans agitation autour de moi. Je vais reprendre mes esprits – en ai-je plusieurs ? Un esprit empli de pensées d'amour paternel pour Jonathan ; un autre esprit qui attend un appel de Muriel...

J'arrive dans ma maison située hors du bourg, ouvre la portière à Patoche qui saute et gambade dans le terrain. Le portail en bois est ouvert.

Michel vient de tondre le terrain. Nous sommes fin mai. L'herbe pousse vite en cette période. Je dis que je m'en fous mais c'est faux ! Je n'aime pas que l'herbe soit haute quand j'arrive de Paris. Alors, quelques jours avant de venir, j'appelle Michel et lui demande :

« Comment va le terrain ?

— Je m'en occupe ! »

L'hiver, lorsque nous décidons de venir, Kirsten et moi, je téléphone à Sylvie, l'épouse de Michel, lui demande de brancher le chauffage électrique afin que l'eau ne gèle pas dans les salles de bains et que nous ayons chaud en arrivant.

Michel et Sylvie sont nos voisins immédiats. On se connaît depuis trente années. Michel a restauré la maison. Ils sont les témoins de notre vie.

Quand nous l'avons achetée, Jonathan avait trois ans. Chez le notaire, alors que nous nous apprêtions à signer l'acte de vente, il courait partout dans les couloirs de maître Gobert. Celui-ci, qui lisait à haute voix les clauses, lassé d'entendre le bruit que faisait Jonathan tout près, courant et renversant le grand pot à parapluies dans l'entrée de l'office notarial, décida d'écourter la lecture :

« Oh ! je pense qu'il est préférable dans ces conditions de cesser de lire tous les paragraphes de l'acte. Vous terminerez cela chez vous. Signez là, en bas de ces pages, chacun. Merci. Vous voilà désormais propriétaires. Votre fils pourra courir dans les trois mille mètres carrés de votre terrain. »

Par-dessus la haie, près du portail, je fais un signe de la main à Michel qui enlève les mauvaises herbes de son jardin.

« Bonsoir, Michel ! Ton Parisien te salue ! »

Il ôte sa casquette et me salue à son tour.

« Vous arrivez tôt, c'est bien. Sylvie a fait le ménage dans les chambres. Venez prendre l'apéritif demain soir si vous êtes libre.

— D'accord ! À demain ! Si je suis libre... »

Je tente de faire bonne figure.

Si je suis libre ?

Non. Je ne suis pas libre. C'est pire : je suis abandonné. Ils ne savent rien, mes voisins, de ce qui se trame dans ma vie. Ils savent que Kirsten n'est plus mais ils ignorent tout du conflit entre Jonathan et moi. Kirsten me souffle de ne rien dire, que cela va s'arranger. Il faut un peu de temps ; les choses ne sont pas si simples... Dans ma tête, le livre des événements récents de ma vie s'écrit lentement.

Et Muriel qui ne m'appelle pas...

Mon espoir s'amenuise. Pour être franc, il a commencé à s'amenuiser dès l'instant où elle a disparu sous le porche de son immeuble. J'ai joué à y croire en hurlant dans la voiture : « Je ne sais rien de toi. As-tu des enfants ? Es-tu mariée ? »

Je tente de combler un vide affectif. Inconsciemment. Je me suis accroché à cette inconnue. Je ne vais pas décrocher si elle m'appelle, je le sais, enfin, peut-être... Si, si! Je décrocherai! Je laisserai le portable sonner plusieurs fois. Comme si j'étais très occupé. Je ne lui ferai pas de reproche. Je prendrai l'air étonné : «Allô... oui... qui est à l'appareil? Ah, c'est toi, Muriel!»

Si j'avais le courage de continuer, je mentirais : «Ça alors! C'est drôle, je pensais à toi, à l'instant, je te jure! Je me disais...»

Non, rien, je ne me disais rien. Inutile d'inventer un dialogue qui n'existera pas!

Pourquoi ne m'appelle-t-elle pas? Je ne lui plais pas? Je suis moche? Ressent-elle une immense faiblesse en moi? Elle n'appelle pas parce que je me suis présenté à ses yeux comme un être faible dont elle refuse de partager la vie, la faiblesse? Elle-même a-t-elle déjà partagé sa vie avec un être faible?

Ou avec un être moche? Un être moche? Impossible. Ce serait faire injure à Muriel, l'accuser de manquer de goût. Elle est trop belle. Je me dévalorise exprès... Le plaisir de me faire du mal, simplement pour occuper mes soirées. Je vis en tête à tête avec moi-même – cette mauvaise image de moi, depuis des années je la peaufine et la renvoie à ceux qui ne m'aiment pas, histoire de m'en débarrasser, afin qu'ils aient envie de dégueuler en prononçant mon nom... Mais ça me revient toujours comme un boomerang.

«Comme la vie est lente,
Et comme l'Espérance est violente[1]!»

Je n'ai jamais autant aimé ces deux vers d'Apollinaire qu'en ce moment... Je sors mon sac de voyage du coffre de la

1. Guillaume Apollinaire, «Le pont Mirabeau» in *Alcools* in *Œuvres poétiques complètes*, Bibliothèque de la Pléiade, 1956.

voiture, m'avance dans l'allée de gravillons. En ce début de soirée, le soleil envoie ses derniers rayons contre les murs de la maison. Combien de fois me suis-je extasié devant cette photographie que je trouve désormais ordinaire?

« Regarde, Kirsten, le soleil se couche progressivement derrière les arbres, là-bas, à droite ! Ça me fascinera toujours ! Pas toi ? »

Kirsten approuvait, docile :

« Si, bien sûr. Comme tu dis, c'est fascinant ! »

Aujourd'hui, plus rien ne me fascine. Le soleil ne me fait aucun effet. Le bruit de mes pas, sur l'allée de gravier, m'énerve. J'ouvre la maison. Je n'y suis pas venu depuis la mort de Kirsten. Bien que Sylvie l'entretienne, une odeur tenace d'humidité demeure. Je m'en fous, j'y suis habitué, je n'y prête plus attention. J'ouvre les volets, les fenêtres. Sylvie a branché l'électricité et le chauffe-eau. Mes yeux redécouvrent les meubles rustiques achetés chez l'antiquaire de la ville : une longue table paysanne, un banc d'église, des chaises en paille, cette coiffeuse dans la chambre à coucher. Je ne fais pas l'inventaire. Plus rien n'a de valeur à mes yeux.

« On s'est laissé prendre
Qu'est-ce qu'on avait fait
Enfants des corridors
Enfants des courants d'air
Le monde nous a foutus dehors
La vie nous a foutus en l'air[1]. »

Je fredonne cette vieille chanson que chantait Mouloudji, je crois.

---

1. D'après le poème « Spectacle » de Jacques Prévert in *Œuvres complètes I*, Bibliothèque de la Pléiade, 1992.

Je ne resterai pas dans cette maison. Elle ne m'appartient plus. Le monde ne m'appartient plus. J'ai cru un instant de ma vie que nous avions construit quelque chose. C'est une illusion.

Si Muriel m'accepte, chercherons-nous à nouveau une maison de campagne, comme nous l'avons fait Kirsten et moi ?

Je sors et m'assieds devant la maison, face au soleil couchant. Je nous revois, il y a trente ans de cela, feuilletant les hebdomadaires spécialisés dans la vente des maisons secondaires. Fébrile et d'humeur joyeuse, j'appelle alors les agences :

« Bonjour, je cherche une maison de campagne, vous en avez ?

— Bien sûr, confirme le responsable. Quel est votre budget ?

— Ne parlons pas d'argent pour l'instant. Vous en avez ou vous n'en avez pas ?

— Je viens de vous le dire, monsieur !

— Très bien, dans ce cas, gardez-les ! »

Un jour, je prends rendez-vous avec une agence. L'homme nous attend devant, très affable. Il nous invite à monter dans sa R16. Nous roulons sur une petite route, toutes vitres fermées. Il fume et m'envoie son cigare dans la gueule. Kirsten est sur le siège arrière. Puis nous prenons un petit chemin de terre et il arrête sa voiture, ne pouvant aller plus loin.

Nous sortons du véhicule. Nous découvrons une petite ferme, une mare et, sur le chemin, une vieille dame qui porte un seau en se dirigeant vers la ferme. L'agent immobilier nous demande de le suivre et nous entrons dans le bâtiment. Il nous présente à la dame, qui porte de longs jupons et un peu de barbe. Nous faisons le tour du propriétaire... La ferme est immonde mais possède un téléphone. Être privé de téléphone a toujours été ma hantise.

La visite terminée, je dis à voix basse à Kirsten avant de remonter dans la voiture et de donner nos impressions à l'agent immobilier :

« C'est celle-là qu'il faut acheter, tu te rends compte, il y a le téléphone ! »

Kirsten est prudente. La mare est trop proche de la ferme et comme Jonathan a trois ans...

« Nous en visiterons d'autres », dit-elle.

Ce qui est intéressant dans l'attente, c'est que l'on peut réfléchir sur les événements passés, leur donner des notes, de zéro à vingt par exemple. Dans ma vie, j'ai rarement dépassé la moyenne.

Je suis nul et le suis resté. Peut-être Muriel a-t-elle perçu ma naïveté ? Ne suis-je pas là à espérer recevoir de ses nouvelles ? Qu'ai-je fait ? Ai-je eu des paroles déplacées ? Commis des sous-entendus grossiers ? Pas mon style. Je l'ai invitée, et ai payé par conséquent le repas. Je ne comprends pas son silence. Mais j'y repense... c'est elle qui m'a dit : « Donne-moi de tes nouvelles ! »

Si j'avais le courage de l'appeler, je lui dirais :

« Le petit chat est mort ! Tu te rends compte ? »

Elle compatirait et demanderait :

« Oh, tu n'as pas de chance ! Comment c'est arrivé ? »

Alors je lui raconterais l'histoire de Mimir, notre chat noir mort broyé par les dents de Wendy, un fox-terrier, la chienne du voisin. Mimir à cette époque est sourd et presque aveugle. Il se cogne aux meubles en se déplaçant difficilement, une triste fin d'existence, quoiqu'il soit méchant et griffe sans cesse. Seul Jonathan trouve grâce à ses yeux. Il peut le prendre quand il le veut, le caresser afin de le calmer dans ses moments d'agitation, dont nous ignorons toujours la cause. C'est souvent en fin de soirée. Mimir saute sur la table du salon, va d'une chaise à une autre. Dans ces moments-là, personne ne doit passer près de lui : un coup de griffes est à prévoir ! Mais nous l'aimons, c'est notre chat. Nous le gardons près de vingt ans. Après sa mort, le matin, seul dans la cuisine, je m'attends encore à le voir descendre l'escalier pour « déguster » son bol de Friskies.

Je ne dirai rien sur Mimir si Muriel ne m'appelle pas. Et je ne raconterai pas non plus le jour où Patoche a aboyé pour m'alerter sur le malaise de Mimir qui vomissait près de la fenêtre. Je suis accoudé à la table du salon en train de lire quand j'entends Patoche. Je lève les yeux et je la vois, près de Mimir malade. Un moment que je n'oublierai jamais. Les aboiements de Patoche me font comprendre que je dois accourir, secourir son compagnon. Bien sûr, j'exagère. Mais cette histoire ne doit pas mourir. Je suis un passeur d'histoires, je transmets celle-ci, comme bien d'autres.

À qui ? À Muriel qui n'appelle pas ? Elle a peut-être perdu son portable ou mon numéro, ou déjà oublié mon existence...

J'en ai assez de contempler ce coucher de soleil qui se pavane avec cet air de dire : « Admirez comme je suis beau quand je me couche ! » Je rentre dans la maison. Elle est fraîche. Sur les meubles de la salle à manger, des portraits de Kirsten petite fille, ballerine, à son cours de danse ; une photo de ses parents, suédois, dans un parc de Stockholm ; une autre avec un groupe de camarades le jour où elle a été reçue à son baccalauréat. Elle porte sa casquette blanche d'étudiante, sourit, heureuse et fière, entourée. Aux murs, quelques aquarelles ramenées de Suède, peintes par sa tante Ingrid. Toute sa vie...

Je mets mon portable à recharger, je ne sais plus quoi faire. Je ne vais pas dormir dans la chambre à coucher. Plutôt monter à l'étage, attendre, regarder les poutres apparentes, comme elles sont belles, passées au Bondex..., et puis non, je m'en fous du Bondex, me fous des poutres apparentes, je veux que l'on m'appelle, j'existe, merde! Je ne compte pour personne, c'est ça?

Et la cuisine Ikea installée récemment, qui s'en servira? Les nouveaux propriétaires! Je vais vendre cette maison, c'est décidé. Je n'ai plus rien à y faire! Ce soir: chips au repas, ça m'évitera de faire mijoter des plats comme un vieux con solitaire. D'ailleurs, on dit «faire mijoter des *petits* plats». Dans cette campagne, un vieux paysan isolé dans sa ferme a mis fin à ses jours en se tirant un coup de fusil. Il en a eu certainement assez de se faire mijoter des petits plats pour les déguster tout seul. Michel, mon voisin, m'a raconté cette histoire. La ferme de cet homme désespéré est à cinq cents mètres de chez moi. Manger est un acte amical, mais si on ne peut pas partager ses repas mijotés, et ce pendant des années de solitude, alors mieux vaut mijoter sa fin. Hélas, pas de fusil... J'ai honte de ce que je viens de penser. Heureusement, personne ne le saura. Ça s'appelle «des pensées inavouables». Aujourd'hui, elles sont nombreuses! Ma première pensée inavouable: je suis un traître. Oui, j'ai trahi mon fils que j'aime! Pourquoi? Parce que je suis allé au restaurant avec une jeune femme. Sans demander d'explications, sans qu'il sache rien, j'en reste persuadé, il a considéré que j'avais commis le plus grave délit au monde: trahir son fils!

«Tu nous as trahis, papa!»

Quel sens donner à ce «nous»? Là, je tremble. Est-ce qu'il veut parler du souvenir de sa mère? Kirsten me souffle doucement que je dois cesser d'analyser ces mots qui me rendent fou, ne plus chercher à comprendre ce qui me semble injuste.

Je suis perturbé quand mon portable sonne. Il était temps. Je m'apprêtais à ouvrir mon paquet de chips sorti du placard de la cuisine. Je le repose doucement. Je prends une résolution importante : ne pas m'énerver, respirer, souffler... Comme tout cela est le contraire de moi... et de Jonathan !

« Allô ? Jonathan ? »

Bien sûr, c'est lui. Son nom s'est affiché sur l'écran de mon portable. Je devrais juste dire : « Allô ? », seulement je suis si heureux de parler avec lui ! Aucune réponse.

« Jonathan, c'est toi ?

— Oui, papa, c'est moi !... T'es tout seul ? »

Sa question ne me rassure pas. Je bredouille, bafouille ; à la fin, je pèse mes mots en reprenant les siens :

« Hein ? Mais je... Évidemment, je suis tout seul ! Avec qui penses-tu que je puisse être ? »

La seconde partie de ma phrase est nulle, je le sais, trop apprêtée, trop longue pour une réponse. Trop tard, elle est dite.

« Je ne sais pas ! Tu aurais pu avoir de la visite, être avec quelqu'un... »

Bêtement, je me défends en ricanant :

« Avec qui veux-tu que je sois ? »

Et là, je m'énerve :

« Oh, écoute, Jonathan ! Arrête avec tes questions insidieuses ! Tu m'appelles pour prendre de mes nouvelles ? Donc prends de mes nouvelles, c'est tout. Demande-moi comment je vais. Ce sont des questions qu'un père est en droit d'attendre de son fils, d'accord ? »

Mon portable est collé à mon oreille et j'entends un bip-bip-bip qui sonne pendant notre conversation. C'est un double appel. De qui ? Je ne sais pas, je ne vois pas le nom affiché. C'est écrit : « numéro masqué ». Un seul mot me vient en tête : Muriel.

Et si c'était elle ? Si elle ne laissait pas de message, lassée des boîtes vocales ? Ma résolution est prise.

« Je te rappelle, Jonathan, j'attends un appel important. Je te rappelle de suite ! »

Et j'appuie en tremblant sur le bouton « appel entrant ». J'articule :

« Allô ? »

J'attends... De très loin, une voix se fait entendre :

« Allô... C'est Muriel...

— Muriel ? Ça alors, c'est incroyable, je pensais à toi ! »

J'ai déjà répété cette phrase dans ma tête. Elle sonne juste...

« Je te dérange ?

— Pas du tout ! Jamais ! Pourquoi tu me dérangerais ? »

Je repense à la question « élégante » posée à Jonathan : « Avec qui veux-tu que je sois ? »

J'aurais dû dire à Muriel : « Pourquoi me dérangerais-tu ? »

Arrive mon premier mot d'esprit :

« Tu n'as toujours pas changé de prénom ? »

Je m'empresse d'ajouter :

« Je te rassure, je plaisante ! »

Tout à coup, j'ai envie de mettre un terme à notre conversation. Nous sommes si loin l'un de l'autre. Je perçois le ridicule de la situation.

« Je remonte à Paris ce soir, le temps de faire mes bagages...

— Tu n'es pas à Paris ?

— Non ! Je suis venu pour quelques jours à la campagne, j'avais besoin de faire le vide dans ma tête. »

Là, deux mensonges.

Primo : « le vide dans ma tête » !

Deuzio : « je suis venu quelques jours à la campagne » !

Tout ce que je trouve à répondre est faux ! Il ne peut y avoir de vide : je pense à Muriel et en plus je viens d'arriver dans ma maison !

Jamais je ne me serais cru capable de mentir si facilement...

Une fois de plus, je trahis Jonathan. Une idée me vient, saugrenue, mais sincère. Je compte trois secondes et me lance :

« Et si tu venais me rejoindre à la campagne ? »

La phrase qu'il ne faut pas prononcer... je viens de la dire !

Je me mords volontairement la langue. Trop tard, le mal est fait ! Je saigne. Je suis sûr que Muriel va raccrocher. Si j'étais elle, c'est ce que je ferais...

Mais elle répond :

« Mais je... Il va faire nuit... C'est loin ? »

Je saisis l'occasion de me faire pardonner :

« Oui. Excuse-moi, c'est une très mauvaise idée ! Je ne sais pas pourquoi j'ai dit ça. »

Tant de phrases sont dites et qui se terminent par « je ne sais pas pourquoi j'ai dit ça » ! Mais j'ajoute :

« Je m'en veux... Tu ne m'en veux pas ?

— Pas du tout ! Pourquoi t'en voudrais-je ? En plus, c'est moi qui t'appelle. Pour prendre de tes nouvelles... J'ai essayé plusieurs fois. C'était occupé. Tu discutais avec quelqu'un ?

— Oui. Avec mon fils, Jonathan.

— Ah, d'accord. Bon, je vais te laisser.

— Non, attends, on peut encore se parler... »

À ce stade de la conversation, je pense alors : « Se parler, oui, mais de quoi ? »

Je ne dois pas être trop long puisque j'ai dit à Jonathan : « Je te rappelle. »

Le temps de réfléchir, il est déjà trop tard. Le soleil vient de se coucher... Le vers d'Aragon surgit : « Le temps d'apprendre à vivre, il est déjà trop tard[1]. »

La poésie a rempli mon cerveau depuis l'enfance. Je n'y peux rien. C'est une obsession chez moi.

Déjà, à l'école, j'avais peur d'être ridicule auprès de mes camarades. La plupart ânonnaient les extraits de poèmes que leur professeur de français tentait de leur faire apprendre... J'étais le seul à déclamer les strophes en m'appliquant, sous l'œil moqueur de certains d'entre eux. C'étaient aussi les seuls moments où j'avais enfin l'impression de me hisser au niveau des meilleurs élèves de ma classe.

Alfred de Vigny et son poème « La mort du loup » qui, malgré la peur de cet animal, m'émeut toujours ; Apollinaire et son « Adieu »...

« Nous ne nous verrons plus sur terre
Odeur du temps brin de bruyère
Et souviens-toi que je t'attends[2]. »
Ce brin de bruyère continue de me déchirer le cœur.

Et puis aussi Prévert et ses *Paroles*, ses *Histoires*.

Oh, je n'écris pas un recueil de poésie. Je cite seulement quelques vers qui m'accompagnent tout au long de ma vie.

Après tout, Don Quichotte n'a-t-il pas trop lu de romans de chevalerie ?

---

1. Louis Aragon, « Il n'y a pas d'amour heureux » in *La Diane française*, Pierre Seghers, 1944.
2. Guillaume Apollinaire, « L'adieu » in *Alcools, op. cit.*

Don Quichotte, et à nouveau l'Espagne... En 1965, je suis engagé au festival de Sarlat pour jouer dans une adaptation du roman de Cervantès *Don Quichotte de la Manche*. Dans la distribution, Victor Garrivier joue Don Quichotte, Maurice Baquet Sancho Pança. Quant à moi, j'interprète le rôle du chef de la troupe des comédiens. Les acteurs principaux de ce festival sont logés dans les hôtels de la ville. Je me retrouve, moi, chez l'habitant : la maison d'une dame espagnole veuve, qui élève son petit enfant, Manoli, en compagnie de sa vieille mère, maigre et sèche, port noble et jupons noirs, et qui chante de sa voix aiguë une comptine pour enfant : « *Palmas palmitas para su papa para su mama, para su papa que son bonitas...* »

Cette dame qui m'héberge s'appelle Carmen. Elle est de la région de Cordoue. Dans son exil, elle s'est liée d'amitié avec un vieil ami de sa province, l'Andalousie. M. Pantoja, c'est son nom, est toujours coiffé d'un béret. Il habite dans les hauteurs de Sarlat, au collège des Jésuites, situé à l'opposé de la ville. Tous les deux ou trois jours, M. Pantoja descend de son pas lent et fatigué saluer Carmen. Passé trois jours, s'il n'est pas venu, Carmen décide de monter le voir pour prendre de ses nouvelles et s'assurer qu'il va bien.

Sa façon d'être solidaire, son geste d'amitié.

Je suis sorti et piétine sur la terrasse de ma maison, mon portable collé à mon oreille. Je ne sais pas comment enchaîner. Si !

« Tu m'appelles de ton portable ?

— Oui. Pourquoi ?

— Je t'entends mal. Il y a des coupures.

— Je t'entends bien, moi. »

Ma conversation doit monter d'un cran dans l'intérêt général (c'est-à-dire le nôtre).

« Tu sais, Muriel, je pense souvent à toi... Je veux dire : à nous deux. À notre rencontre, dans les circonstances... »

Je patauge, c'est incontestable. Ce serait bien si elle me tendait la main, avec un début de phrase comme : « Oui, c'est sûr que... », ça suffirait pour reprendre mes esprits. Elle achève ma phrase d'un mot :

« Dramatiques, tu veux dire ? Des circonstances dramatiques ? »

Je suis sauvé.

« Exactement : des circonstances dramatiques, tragiques même !

— Oui. On ne peut pas prévoir les rencontres, ce serait trop simple... Excuse-moi, j'ai un appel... »

Elle me laisse cinq secondes dans le silence et reprend :

« Non ! Tant pis, je ne le prends pas, ça attendra...

— C'est qui ? » dis-je, immédiatement anxieux, angoissé, déstabilisé, tétanisé...

Muriel ne semble pas avoir deviné mon trouble.

« C'est quelqu'un de la production qui m'appelle pour la journée de demain... Il attendra.

— C'est une femme ? »

Je poursuis l'interrogatoire par le mot « femme », qui me semble plus neutre...

« Non, un homme. »

Je ne connais rien de sa vie et déjà je suis jaloux. Bien sûr, c'est ma faute, je le sais mais c'est plus fort que moi. Le simple fait que la jalousie ait surgi en moi prouve que je tiens à elle. Muriel tient-elle à moi ? La réponse est : oui ! Puisqu'elle m'appelle en ce moment même. Si seulement une autre femme qu'elle m'appelait de suite pour que j'entende sa réaction. Je dirais : « Euh, Muriel, excuse-moi j'ai un appel, ne quitte pas... » Puis je reviendrais vers elle : « C'était une femme. Rien d'urgent. Je la rappellerai plus tard. »

Hélas, aucun prénom féminin ne me vient à l'esprit pour être un peu crédible ! Je reprends :

« Je rentre à Paris demain soir, nous poursuivrons notre conversation demain, si tu es libre bien sûr. Il n'y a pas d'obligation... »

Si ! Il y en a une, et pas des moindres : nous ne nous connaissons pas, nous devons nous parler. Une phrase d'un auteur américain se met à tourner dans ma tête. Elle m'étouffe : « Nous avons continué à parler alors que nous n'avions plus rien à nous dire... »

Mais je n'en dirai rien à Muriel, qui me prendrait pour un cinglé. C'est pourtant ce que je pense en cet instant : parler, se raconter, expliquer, mais ne pas se justifier...

« C'est moi qui t'appellerai, Muriel, dis-je, d'accord ?

— D'accord ! J'attends ton appel, bonne soirée, à demain... »

Kirsten est restée discrète tout le temps de notre conversation téléphonique. Je n'ai pas senti sa présence récemment. Elle est de retour et me souffle ces mots dont nous avions déjà longuement discuté tous les deux : « Pourquoi ceux que l'on aime meurent-ils ? Et y a-t-il une loi de compensation ? » Une phrase extraite d'un des milliers de livres que Kirsten a lus. La réponse m'apparaît : si cette loi de compensation existe, elle explique la rencontre avec Muriel. Malgré cette évidence, trop simple à mes yeux, je continue de douter.

Changer de vie

Il fait presque nuit. Je m'avance sur l'allée de gravier jusqu'au portail, fais quelques pas. Mon regard se perd au loin sur la petite route. J'agite ma main qui serre mon portable comme si je voulais lui dire au revoir ; je fais demi-tour vers la maison.

C'est décidé, je vais rentrer à Paris. Qui voir en premier ? Jonathan ? Muriel ? Je me pose la question et je ne m'autorise qu'une seule réponse. Mais rien n'y fait : je passe mon tour. Je me répondrai sur la route. Je vais avoir le temps de réfléchir pendant trois heures. Mon sac de voyage n'est pas défait. Je le remets illico dans le coffre de ma voiture, ferme la maison, appelle Patoche qui saute à mes côtés dans l'auto et je sors de l'allée. Pas eu le temps de saluer mes voisins. Je leur téléphonerai. Je pars souvent sans les prévenir. Je ne dois pas rouler trop vite, personne ne m'attend. Si... quelqu'un que j'ai trahi... pour quelqu'un d'autre... *quelqu'une*. À présent, je m'attends à une explication. « Orageuse » est l'adjectif adéquat. Je ne pourrai pas éviter le conflit, je le sais. Je démarre. Sur l'écran de la voiture : 20 h 16... ou 17, je m'en fous. Alors pourquoi m'accrocher à 17 ? Je m'en fous du 17, je m'en fous, je m'en fous ! C'est clair ?

D'ailleurs, je vais changer de voiture, c'est décidé ! De marque aussi. Je m'en fous. Je déteste les voitures et tous ceux qui parlent de voiture neuve ou d'occasion ou de collection. J'imagine un monde où l'on aurait la possibilité de changer de vie comme on change de voiture. Tous les dix ans, on entrerait dans un magasin, un « changeur de vie » vous accueillerait :

« Bonjour, c'est pour changer de vie ?

— Oui. J'en ai marre de la mienne.

— Vous êtes marié ?

— Oui. Je veux changer de vie mais pas de femme, c'est possible ?

— Bien sûr ! Tout est possible, c'est rare, voire contradictoire, mais c'est possible... »

Cette phrase tourne dans ma tête pendant que je roule prudemment. Kirsten en profite pour intervenir doucement dans ce dialogue imaginaire : « Rappelle-toi, Daniel, ce que tu ne m'as jamais avoué : il y a une quinzaine d'années, lors d'un spectacle en province, tu es tombé amoureux fou d'une jeune femme. Je me souviens d'elle. J'étais venue te rejoindre... Je l'ai rencontrée elle aussi, comme Muriel. Elle avait une belle chevelure brune et de grands yeux noirs. Elle était originaire de l'Algérie, du Sud ; moi, je viens du Nord, une vraie blonde, n'est-ce pas ? Elle attendait un signe de toi. Tu as failli craquer, partir, changer de vie, me laisser avec Jonathan. Tu ne l'as pas fait. Tu as réfléchi. Tu n'as pas voulu me faire du mal : j'avais tout laissé pour venir vivre avec toi à Paris lorsque j'étais étudiante. Il ne s'est rien passé entre vous. Tu as cessé de voir la jeune femme. Sans doute lui as-tu écrit des lettres d'amour, comme tu m'en as écrit au temps de notre jeunesse. Comme tu en écriras peut-être à Muriel... Tu ignorais que je sais tout cela, mais je l'ai perçu, je l'ai vu : ton comportement avait changé. »

Pas facile de changer de vie. De cette période me reste une brûlure dans la région du cœur, une brûlure que je ne souhaite pas voir disparaître. Même si mes lettres d'amour envoyées ont peut-être disparu. Même si le papier a jauni depuis quinze ans. Ces lettres d'amour ont-elles été déchirées en petits morceaux afin que rien de ce qui a été écrit ne soit lisible ? Ont-elles été jetées dans la corbeille d'un bureau, vidée ensuite dans le container d'un immeuble ? Comme je suis déprimé ! Moi ? Finir dans une corbeille ? Quelle honte ! Je dois me ressaisir ! Ces lettres déchirées, j'ai presque envie de pleurer en pensant à elles. Songer à elles, c'est songer à moi, mon passé, mon avenir. Dans un sursaut d'énergie, je passe la cinquième vitesse pour doubler cet imbécile qui se traîne devant moi avec arrogance parce qu'il arbore sur sa vitre arrière l'auto-collant « A » des débutants ! Les débutants ne devraient pas avoir le droit de conduire tant qu'ils sont débutants. Je m'étais promis de rouler prudemment et je change d'avis. Je double en klaxonnant ; la voiture se range sur sa droite en un coup de volant assez sec. Je lui ai fait peur, il a dû sursauter. Le klaxon me rappelle le temps où j'allais à l'auto-école. Un gros moniteur à la chevelure grisonnante donnait aux élèves des cours de code de la route. Quand il nous interrogeait, il n'avait qu'une obsession, toujours la même :

« Je n'aime pas que l'on utilise le mot "klaxon". Alors, que doit-on utiliser à la place du mot "klaxon" ? »

Il insistait lourdement, pesant, sûr, lui qui possédait la réponse. Aucun de nous ne connaissait ni ne voulait se souvenir des mots « avertisseur sonore ». Le moniteur, lui, s'accrochait au texte du code. Il était ridicule dans sa volonté de nous « vendre » son avertisseur. Il gueulait :

« Sonore ! Vous entendez ? *Sonore.* Moi, je ne klaxonne pas, messieurs ! *J'avertis de façon sonore !* C'est clair ? »

Ce mot « klaxon » l'obsédait réellement. Il a dû mourir étouffé par un avertisseur sonore. Grâce à lui, j'ai obtenu mon permis... à la troisième tentative ! Jamais je n'ai utilisé ces mots d'« avertisseur sonore ». Ce souvenir imbécile et ces images idiotes m'ont fait rouler dix minutes. Dix minutes perdues sans penser à Muriel et Jonathan. Je m'en veux...

Il y a peu de circulation ce soir. Je roule sur une deux voies. De chaque côté de la route, les grands peupliers me font une haie d'honneur, éclairés de temps en temps par la lune quand les nuages poussés par le vent daignent s'éloigner d'elle. Je ralentis en traversant une agglomération où je suis prévenu gentiment par un panneau de signalisation, cent mètres avant l'entrée du village, que la vitesse autorisée n'est que de cinquante kilomètres-heure. Je roule donc à soixante kilomètres-heure. À la sortie, mon téléphone sonne. J'ai le Bluetooth dans la voiture. J'appuie sur l'icône *portable* de mon volant. Jonathan.

Je ne suis pas de bonne humeur. Je ne souhaite pas discuter avec lui.

« Je suis sur la route, Jonathan, je ne peux pas te parler, je te rappelle plus tard, je rentre à Paris. T'as quelque chose à me dire d'urgent ? C'est grave ? Ou ça peut attendre ?

— À quelle heure je peux te rappeler, papa ?

— Vers 23 heures ! Appelle-moi à la maison, j'y serai ! Si c'est urgent, envoie un SMS. J'y réfléchirai en route...

— Enfin, papa, faut qu'on parle ! On a des choses à se dire... Surtout toi !

— Tu me l'as déjà dit, j'ai compris. À tout à l'heure ! »

J'ai raccroché. Nerveusement, je passe la sixième vitesse. Il commence à pleuvoir. Les essuie-glaces se mettent en route automatiquement. Je suis seul sur cette route. J'allume la radio. C'est l'heure des informations catastrophiques. Journalistes et commentateurs expliquent

à l'auditeur que « l'on va approfondir le sujet avec notre spé-
cialiste politique ». Je m'apprête à changer de station quand
tout à coup j'entends les mots : « L'on apprend à l'instant
le décès d'une grande actrice du cinéma français... »

J'éteins. Je refuse de connaître le nom de cette personne. Le mot « décès » déclenche mon empathie, ma sympa-
thie, mes condoléances, mes regrets. Les tweets de regrets
doivent pleuvoir en ce moment, comme sur cette route.
Je verse une larme citoyenne de spectateur. Tout est contre
moi pendant ce voyage retour vers Paris. Et si je mourais là
sans avoir dit adieu à Jonathan, sans une dernière explication avec lui ? Sans avoir effacé les non-dits, qui pourrissent
la vie de chacun de nous ? Sans l'avoir serré dans mes bras
avec le peu de force qu'il me restait ? Et Isabelle ? Je n'en
verrais jamais le bébé ? Et Muriel que je connais à peine ?
Quelle serait ma dernière pensée pour elle ? Deux mots
me viennent : « Trop tard ! » Puis d'autres : « Une autre fois,
Muriel... »

Quant à Kirsten, ceux-là : « J'arrive, mon trésor. »

Les lumières jaunes, les éclairages annoncent la Ville
lumière : Paris.

Encore une demi-heure. J'entre dans le boulevard
périphérique ouest. Il est temps que j'arrive chez moi.
Je n'éprouve aucun plaisir à conduire, et plus encore je
déteste parler « voiture ».

Jamais je n'ai soulevé un capot. Un jour, Kirsten a
monté la roue de secours après que nous eûmes une crevaison en partant de notre maison de campagne. Muriel saura-
t-elle remplacer une roue ?

Si, dans notre dialogue amoureux qui n'en est qu'à
son balbutiement, je devais lui demander : « Dis, Muriel,
sais-tu changer une roue de voiture ? », quelle serait sa réaction ? Il paraît préférable de ne pas lui poser la question.
Mais, si nous devions partir en week-end tous les deux,

comme ça, en voiture sur les routes de France pour visiter les châteaux de la Loire par exemple et que, imaginons, brusquement un des pneus subissait une crevaison, j'arrêterais le véhicule sur le bas-côté de la route, je sortirais avec détermination, je retrousserais mes manches de chemise, tentant de faire bonne figure et finirais par dire : « On n'a vraiment pas de chance pour ce premier week-end ! Heureusement que... tu sais changer une roue, toi ?... »

Non ! Je n'ose pas croire que cela puisse arriver ! Je ne veux ni prévoir l'avenir ni me faire tirer les cartes. Je ne lis pas les pages d'horoscope dans les journaux de gauche ou de droite, la numérologie m'emmerde, les publicités pour les voyants et médiums me font dégueuler, je n'y peux rien, je suis allergique à tout ce qui touche à l'avenir, au hasard, aux probabilités, aux sondages. Je suis très énervé. Il me reste un quart d'heure de route. Je dois me calmer, respirer profondément, fixer les feux rouges arrière de la voiture qui roule devant moi sans intention de la doubler. Mais l'ennui me prend et j'allume la radio. Je cherche une station qui ne diffuserait aucune parole, aucune affirmation, aucun bulletin météo, aucun débat contradictoire, aucun reportage. Du silence, rien que du pur silence comme il doit y en avoir entre les milliards d'étoiles, les planètes, les constellations, quoique je me foute de la Grande Ourse, du Grand Chariot ou de l'étoile du Berger. Du silence, je veux du silence dans ma bruyante vie, pleine « de bruit et de fureur[1] » comme l'écrit Shakespeare.

« Ici Radio Silence. » Seuls seraient murmurés les prénoms de Jonathan, Isabelle et Muriel.

Je sors du boulevard périphérique et au premier feu rouge freine sèchement. Kirsten me souffle de ne pas

---

1. William Shakespeare, *Macbeth*, in *Tragédies II*, Bibliothèque de la Pléiade, 2002.

l'oublier. Je murmure : « Kirsten, Jonathan, Isabelle. » Puis à voix haute prononce : « Muriel. » Avec un seul *l*, m'a-t-elle précisé...

La dépression de l'automobiliste me guette. Il est temps que je rentre chez moi boire un bon whisky, histoire d'affronter Jonathan s'il m'appelle ou me rend visite... Et Muriel ? Avec qui parle-t-elle en ce moment ? Dort-elle ? Avec qui ? Je m'en fous, mais je m'en fous ! C'est dingue comme je m'en fous ! C'est même indécent. Non, ce n'est pas vrai ! Je ne dois pas penser ainsi. Je suis juste fatigué. Qu'elle me pardonne si elle lit à distance dans mes pensées. Je suis bavard et sans cesse je me justifie de l'être. Ça aussi, je devrais lui avouer. Tout ce qui fait partie de la longue liste de mes imbécillités personnelles – et continues. J'aime me faire du mal, rien de mieux pour me dévaloriser à ses yeux. Aucune pensée positive ce soir. Un somnifère m'aidera à m'endormir, avec deux whiskys (non : trois). Le feu passe au vert. Derrière moi, un con pressé me klaxonne. Je fais exprès d'avoir du mal à démarrer, cale volontairement et, tout tranquillement, redémarre. Kirsten ne s'est jamais énervée au volant, elle. Et elle a obtenu son permis de conduire du premier coup, comme Jonathan et Isabelle. Quant à Muriel, je n'en sais rien. Obsédé, je suis obsédé. Toutes mes pensées me ramènent à ces trois personnes dans le cercle étroit de ma petite vie. Parlons-en de ma vie !

Je veux y croire. De toutes mes forces. Mais il arrive que ma croyance vacille, chancelle. Dans ces moments-là, de vrais moments de crise, je n'ai plus aucune certitude, rien. Des idées contradictoires m'agressent, me tourmentent, tournent dans ma tête vide. Je ne sais plus quoi penser, ni de moi ni des autres, de leurs arrogantes certitudes que, malgré tout, il peut m'arriver d'envier. Nulle réponse, nulle formule savante ne peuvent apaiser mon anxiété. Passé la crise, je continue mon chemin... L'instinct de survie ? Plutôt

mon irritabilité, mes volte-face permanentes, mes contradictions, mes incohérences, mon hypersensibilité. Ils font
de moi une proie facile pour qui veut en jouer, et atteindre
mon intégrité. Je suis une éponge. J'absorbe tout : événements, réflexions. Et tout me bouleverse. Jamais de repos
dans ma tête ; certains me disent « malade ». J'ai tout lu,
tout entendu sur ma personne : « C'est un fou ! Un malade !
Un génie ! Un pauvre type ! »

Je vais devenir fou, je le sens au fond de moi. C'est
alors qu'arrivent au galop Jules Laforgue et son poème :

« Crâne,
Riche crâne,
Entends-tu la Folie qui plane ?
Et qui demande le cordon
Digue dondaine, digue dondaine
Et qui demande le cordon,
Digue dondaine, digue dondon[1] ! »

Je vais résister vaillamment. Mais pour qui me
prends-je ? Je viens d'esquisser un vague sourire... Je ne
suis pas n'importe qui !

Hélas, si ! Je suis n'importe qui, comme tout un
chacun ! Ce « tout un chacun » dont j'abhorre l'expression
et le physique me ressemble. Allez, tout cela procède d'une
grande souffrance. Cesse de te plaindre et de gémir. Tu n'es
pas seul, il y en a des milliards de « tout un chacun » sur la
terre. Rentre chez toi et attends la suite des événements.
Surtout, choisis bien ton programme télé... Regarde le bulletin météo. Le ciel sera sombre demain. Après-demain aussi
pour toi, rien que pour toi...

---

1. Jules Laforgue, « Les complaintes du pauvre jeune homme » in *Les Complaintes*,
Gallimard, 1979.

Ce soir, ma rue est en panne d'éclairage public. Seules les maisons autour de la mienne éclairent faiblement le trottoir. Par chance, il a cessé de pleuvoir et, avec mes phares allumés, je devine une place. Je n'ai pas de garage. Avec Kirsten, nous avons projeté d'en faire creuser un sous la maison, à côté de la cave. Maintenant je m'en fous! D'ailleurs, je me gare aisément. Je coupe le moteur. Assise à côté de moi, Patoche donne des signes de joie et jappe d'impatience. Elle saute sur mes genoux et griffe la vitre. Je vais ouvrir la portière..., je ne l'ouvre pas, j'attends. Le découragement se présente à moi:

« Bonjour! Tu espérais ma venue, non? »

Je souffle une timide réponse:

« Oui. Je savais que tu viendrais, à cause de l'ampleur de la tâche qui m'attend... »

Le découragement émet un ricanement, stupide à mes yeux. Je comprends qu'il se fout de ma gueule. Je me défends:

« J'ai des raisons d'être découragé! D'ailleurs, tu les connais! »

Je ne trouve pas mieux à répondre. Le découragement, imperturbable, m'envoie ces raisons en pleine tronche:

« Tu as peur d'affronter ton fils, Jonathan. Tu t'inquiètes pour la santé d'Isabelle et de son bébé. Tu crains de perdre Muriel avec ta maladresse, Muriel qui te tend la main... »

Je n'aime pas recevoir de leçons. Mais il n'a pas tort. Ce qu'il ignore, c'est la difficulté à rebondir après une situation tragique. La résilience n'est pas mon fort, sinon tout serait réglé. Je n'ai pas cette faculté. Quant au pardon, je ne sais pas ce que cela signifie. Pas ma faute, plutôt celle de ma médiocre intelligence. Si j'étais un magicien, peut-être aurais-je, avec ma baguette magique, la possibilité de faire sortir de mon chapeau le grand pardon mondial pour le malheur infligé aux victimes humaines innocentes. Lao-Tseu, philosophe chinois, a écrit : « La victoire devrait être célébrée en des rites funèbres » ! Un instant, mon esprit s'égare très loin de ma rue. Je reviens à la réalité au moment où l'éclairage public illumine soudainement le quartier. Je devrais dire : à *ma* réalité. Seulement celle-ci me préoccupe. Je dois vivre en sa compagnie même si je viens de m'en évader un instant. J'ai ressenti le vague espoir qu'elle change une fois revenue à elle... Je me suis encore une fois trompé. Tant pis !

De la buée s'est formée sur le pare-brise. Je me décide à sortir ; j'ouvre la portière. Patoche se tient devant le portail de la maison.

Je sors mon sac de voyage du coffre à bagages, le referme. J'ouvre le portail en bois (nous devions en acheter un électrique). Je regarde machinalement dans la boîte aux lettres, saisis un paquet de publicités, le jette dans la poubelle à côté de la boîte, la referme. Seul moment de petit bonheur ce soir : quand la lumière extérieure de la maison éclaire mes premiers pas alors que je monte le perron. « La résilience est partout », me dis-je, ironique. De retour chez moi, dans mon salon, face à mes livres, face à ceux de Kirsten qui lisait en anglais les ouvrages d'Iris Murdoch, de Doris Lessing ou de Paul Auster, tous ces livres touchés de ses mains... Stop ! Ce serait bien de ne penser à rien, à rien de rien. Dalia, la dame algérienne qui s'occupe de l'entretien de notre maison depuis quinze ans, est sûrement venue dans la journée. Journaux et revues sont rangés, les coussins du canapé dans lequel j'ai dormi retapés. Je m'approche de la grande table en fer forgé, représentant un drakkar, cadeau d'un ami chanteur d'opérette et forgeron d'art à ses heures, sur laquelle est posée une épaisse plaque de verre. Une feuille de papier blanc m'attend. De grosses lettres tracées au feutre noir attirent mon attention. Je crains le pire. C'est l'écriture de Jonathan :

Papa...

Mes yeux restent un long moment fixés sur le mot « papa » écrit en majuscules. J'hésite à lire la suite. Debout devant la table, je me décide.

Tu ne nous as peut-être pas trahis mais tu nous as menti et tu le sais. Isabelle et moi, nous avons téléphoné à Jean-Louis et Liliane, le soir où tu devais soi-disant dîner chez eux. Ce soir-là, ne te voyant pas revenir, je les ai appelés vers 1 heure du matin. Ils dormaient. Je les ai réveillés. C'est Jean-Louis qui a décroché. Je me suis excusé et j'ai demandé : « Est-ce que papa est encore là ? »

Jean-Louis m'a répondu d'un ton sec : « Ton père ? Il ne peut pas être là ! Il y a deux ans que nous n'avons pas eu de nouvelles de lui ! Comment va-t-il ? Dis-lui de nous appeler un de ces jours, ça nous ferait plaisir ! »

Alors, papa, peux-tu m'expliquer ? J'attends ! Tu n'as pas dû penser beaucoup à maman ce soir-là !

Fin de la lettre. En post-scriptum :

Qui est cette femme ? Je veux savoir. Ton fils.

Cette fois, je m'assieds et relis la lettre. Je suis content d'avoir des nouvelles de mes amis. Jean-Louis est mon plus vieux copain du collège Turgot. Nous nous sommes connus en seconde, à quinze ans. Je possède encore quelques photos de nous quand nous étions dans la même équipe, au mois d'août, en colonie de vacances en Italie, à Salò, près du lac de Garde. Trois équipes de dix garnements chahuteurs et bruyants. Nous faisions plusieurs excursions, à Gardone Riviera, où nous avons visité le musée de Gabriele D'Annunzio, le poète officiel du régime de Mussolini. Jean-Louis m'a photographié à Venise sur un pont, le pont des Soupirs j'imagine. Je tiens une casquette blanche à la main. Dans cette ville, je fais, il me semble, mes premières grimaces – et ma première tentative de flirt. Jean-Louis aussi. Un autre camarade est également sur une photo entre Jean-Louis et moi. Il nous tient par les épaules. C'est Kim, il est vietnamien, il sourit... Il habite rue du Sommerard, dans le Quartier latin. Qu'est-il devenu ? Je ne le saurai jamais.

Quant à Jonathan, à sa question : « Qui est cette femme ? », j'en avance une autre : « Qui t'a dit que c'est une femme et comment le sais-tu ? »

Je vais être obligé de m'expliquer avec lui. J'espérais ne pas avoir à le faire, je me suis encore trompé. Pourquoi ne pas lui dire :

« Cette femme s'appelle Muriel. Voilà, je t'ai répondu. T'es content ? Comment sais-tu que c'est avec une femme que j'avais rendez-vous ? »

Un silence, puis :

« Tu m'as fait suivre, c'est ça ? Tu m'as suivi ? »

Je ne lui laisserais pas le temps de la réflexion, j'enchaînerais :

« Faire suivre ton père, c'est une honte ! Tu devrais avoir honte ! Ah oui, il n'y a pas de quoi être fier ! Tu n'as pas honte ? »

Je ne pourrais pas lui dire ça, trois fois « honte » ! Plutôt, plus simplement : « J'ai honte de toi ! » Mais c'est faux. Je n'ai pas honte de Jonathan. Si j'avais le courage, j'élèverais le ton en disant :

« Tu oses me dire que je n'ai pas pensé à ta mère ce soir-là ? Ta mère est sans cesse présente dans mon cœur, sans cesse ! »

Là, je doublerais le « sans cesse ».

« Tu m'entends ? Elle est sans cesse présente entre Muriel et moi, c'est clair ? »

Je ne me suis pas rendu compte que je parlais fort pendant ma plaidoirie solitaire. Patoche me le fait remarquer en aboyant. Je dois me calmer, sortir de scène, reprendre mes esprits, faire entrer le témoin surprise : Muriel...

Cette histoire... je prends la décision de l'écrire. D'écrire un journal, mon journal intime, de relater les événements qui me rendent impuissant depuis l'absence de Kirsten.

Je suis en « régression ». J'ai cinq ans et vis un manège d'événements... comment les qualifier : tragiques, dramatiques ? Cela tourne dans ma tête et ce manège ne s'arrête plus. Je suis enfant assis sur un cheval de bois, sur un petit éléphant caparaçonné d'or, dans une belle voiture rouge. Du haut de mes cinq ans, je me lève, tente d'attraper le pompon du manège qui se balance au-dessus de ma tête comme une épée de Damoclès. Chaque fois que je le saisis survient un événement auquel je ne suis pas préparé. C'est cela : je reste un enfant, je n'ai jamais grandi, même si j'ai atteint mes soixante ans ! À vingt ans, j'ai affirmé à mes copains que mon avenir serait brillant, que je deviendrais célèbre. Et si je ne l'étais pas devenu à trente-trois ans, je me suiciderais... Me voilà aujourd'hui, à soixante ans, seul devant ma table en verre, hésitant à prendre une décision qui ne sera pas la bonne. Je plie la lettre de Jonathan, la pose sur la table. Non, je ne la garde pas, je la déchire. Non ! Je n'ai pas ce courage. Je la replie, la mets dans la poche de ma veste. Je m'énerve et m'approche du canapé où s'entassent les jurés qui ricanent et se foutent de ma gueule. Je recommence ma plaidoirie qui va être terrible. Ma voix mal assurée tremble dès les premiers mots prononcés :

« Je n'ai rien à me reprocher, monsieur le procureur, monsieur le juge, monsieur le président de la chambre à coucher. Acquittez-moi ! Messieurs les jurés ! Si vous me condamnez à vivre mes dernières années seul comme un être humain mis en quarantaine, exclu des sentiments d'amour, vous commettrez une erreur judiciaire sans précédent, vous le regretterez... Écoutez bien, messieurs les jurés, voici la menace que je vous adresse : je vous souhaite de vivre comme je vivrai si vous me condamnez, c'est-à-dire ressentir un froid glacial, polaire, arctique, antarctique. Je vous souhaite de vous sentir prisonniers de la chaîne du froid, à l'intérieur de votre corps désormais inutile ; déjà il s'enfonce dans une vieillesse précoce... Souvenez-vous de mes paroles ! Je... je n'ai rien d'autre à ajouter, monsieur le président. Si ce n'est que je trouve belle et courageuse mon inutile plaidoirie. »

Les ombres autour

J e sors faire un tour avec ma chienne ; le sommeil ne va pas venir vite. Non, je ne sors pas. Patoche s'allonge sur le canapé et ferme les yeux. Elle rêve sans doute, peut-être de Jonathan et Isabelle, à qui elle fait la fête chaque fois qu'ils viennent me voir. Elle tourne, tourne, tourne autour d'eux, jappant, aboyant, attendant d'eux une caresse, un geste de reconnaissance, un geste d'amour...

« Hé ! Ne m'oubliez pas ! C'est moi, Patoche, votre chienne, votre setter irlandais ! Je suis dans la famille depuis une bonne dizaine d'années ! Ma maîtresse adorée n'est plus là et j'ai connu un vrai chagrin quand elle est partie. Elle avait trouvé ce nom de Patoche ! Jonathan préférait "Bijou", en souvenir du berger allemand de son grand-oncle normand, Gabriel, gardien de nuit aux usines Carel et Fouché, qui construisaient des wagons de chemin de fer en Normandie. Il prenait son service chaque soir vers 22 heures, ayant soin de vérifier son revolver six trente-cinq. Il partait à vélo avec son faible éclairage et roulait un kilomètre dans la nuit pour atteindre l'usine. Bijou courait à ses côtés. Marinette, la femme de Gabriel, était gardienne elle aussi. Elle faisait le ménage dans un bâtiment appelé la Garçonnière, où ils logeaient gratuitement tous les deux, dans un petit deux-pièces. Sans doute un cadeau des propriétaires de l'usine. La Garçonnière avait une dizaine de chambres, chacune pour une personne. Un ouvrier devait être célibataire. Tous aimaient Jonathan quand il venait en vacances. Je sais tout cela car la mémoire d'un chien, c'est la mémoire de vous tous, les êtres humains. J'ai retenu le discours familial. Je vous ai vus grandir comme vous m'avez vue grandir! Un autre chien a fait partie de la famille. Il s'appelait Flippou. Je ne l'ai pas connu, je ne suis pas jalouse, je sais juste qu'il a eu une vie de chien belle et heureuse. Quand il mourut, vous m'avez adoptée après une visite dans le chenil où je suis née. J'ai tous mes papiers officiels : carnet de vaccination, tatouage, puce électronique..., je m'y perds! Je peux voyager partout avec vous dans toute l'Europe. J'avais deux mois quand on s'est connus, aujourd'hui j'ai dix ans. Un temps de chien n'est pas le même que le vôtre mais vous savez combien je déborde d'amour pour vous!»

Elle se calme à la première caresse, rassurée de sentir qu'elle compte vraiment pour eux, et va partager les moments de leur présence affectueuse...

Muriel aime-t-elle les chiens, tous les chiens? Sans distinction de race ou de religion? J'essaie de me faire rire, de m'amuser, c'est plus fort que moi, je me dis encore que tout cela est une farce monumentale, que je suis un ancien comique des années 1980, un vieux comique qui n'a plus d'avenir et doit plier son stand de nez rouge, ou encore, comme dit Shakespeare, «un pauvre acteur qui se pavane et s'agite durant son heure sur la scène et qu'ensuite on n'entend plus. C'est une histoire dite par un idiot, pleine de bruit et de fureur, et qui ne signifie rien[1]». L'idiot, c'est moi.

---

1. William Shakespeare, *Macbeth, op. cit.*

Je le sais trop bien. Je demanderai à Muriel son avis sur les chiens dès que je la revois... si je la revois... Impossible, impensable de ne pas la revoir ! J'ai tant choses à lui raconter sur ma vie. J'ai déjà dit l'essentiel : la Kabylie, l'Algérie, mais si peu de choses sur Kirsten. Je n'en ai pas le courage...

Non pas pour qu'elle me trouve intéressant. Ni pour briller. Juste pour exister dans ses yeux marron clair. Je lui ai demandé de quelle couleur ils étaient quand nous étions au restaurant. Je ne veux pas commettre de faute à l'avenir, je suis incapable de dire leur couleur : marron clair ? marron vert ? marron glacé ? Je n'ose pas la regarder dans les yeux. Si j'étais courageux... j'étoufferais le vieux comique inutile qui se réveille en moi et dont plus personne n'a besoin. Je me reproche d'avoir pensé « marron glacé ». C'est plus fort que moi, une vraie déformation professionnelle. Je me dévalorise car je n'ai plus de défense. Mon surmoi se noie.

Je tente de me livrer à un exercice de mémoire, pour Kirsten : à combien d'événements depuis son départ n'a-t-elle pas assisté ? Le monde tourne toujours aussi mal. L'existence de Kirsten adoucissait cette violence environnante devant mon regard affolé et apeuré.

Subitement me revient à l'esprit une rencontre étonnante, pourtant bien réelle, une rencontre que je n'ai pas provoquée. On m'invite avec quelques camarades artistes à une grande fête populaire où se retrouve « le peuple de gauche » – comme on dit avec élégance depuis peu dans les médias. On y trouve des socialistes, des communistes, des guévaristes... Chacun propose un avenir meilleur, radieux, le paradis immédiatement accessible. Le bonheur ! Cela paraît si simple à atteindre, le bonheur ! Sous d'immenses chapiteaux, chaque région de France propose ses produits : foie gras, cidre, fromage, vin de pays. Tout ça dans une ambiance bon enfant, joyeuse, détonnant avec les nouvelles alarmantes et quotidiennes provenant de toutes les nations du monde. Bon, me dis-je, profitons de ce moment qui ne durera pas plus d'un week-end. Avec mes camarades, nous pénétrons sous un des chapiteaux. À l'entrée, une bande-role : « Le Périgord noir vous attend ». Nous prenons place autour d'une des grandes tables dressées. Nous commençons le repas par une omelette aux cèpes.

« Menu unique pour tous ! » prévient le serveur.

Je déjeune silencieux ; j'écoute mes camarades parler sur toutes sortes de sujets : la vie, les régimes amaigrissants, la politique, l'union de toutes les gauches... Parfois, je ponctue leurs échanges par des « tu as raison », et des « ça, c'est sûr ! ». Je m'investis peu dans la conversation, ne relance pas les éventuels débats qui pourraient surgir. Certains de mes camarades acceptent mon comportement ; ils savent ma dépression, ma situation... Je me force à manger cette omelette aux cèpes. J'ai envie de la jeter sous la table. Muriel aime-t-elle les cèpes ? Je cherche à m'évader, je sens l'ennui me gagner, l'omelette n'ouvre pas mon appétit. Je décide de me lever pour prendre l'air. Tout à coup, un copain de table s'exclame :

« Regarde qui vient te saluer... Durruti en personne ! »

Croyant qu'il se moque de moi, je réplique, un peu irrité :

« Arrête tes conneries, tu veux ! »

Curieux, je tourne quand même la tête vers l'allée du restaurant. C'est vrai ! L'Espagne est à portée de main en la présence d'un petit bonhomme en uniforme militaire, sa tête coiffée d'un calot à pompon. Il avance vers notre table. Nous nous saluons. Sur sa veste, je lis les badges cousus sur ses bras : « Columna Durruti, Brigadas internacionales ».

Il tient ferme un drapeau. Je lui demande :

« C'est quoi, ton drapeau ? Tu peux le déplier ? »

Je lis : « Bataillon de la Commune de Paris » et, sur un autre badge : « Tom Mooney, Lincoln Battalion ».

Je m'assieds, invitant ce jeune homme à prendre un verre. Nous bavardons sur notre sujet commun : la guerre d'Espagne.

« Mais comment t'es-tu procuré tout cela ? Cet uniforme, ces badges et ce drapeau ?

— Sur des sites Internet. »

J'ai encore tant à apprendre sur cette période de souffrance.

Il ouvre sa chemise kaki.

« Regarde ! »

Sur son tee-shirt noir est tracé en lettres majuscules rouges : « CNT ».

Voyant mon enthousiasme, il sort de son sac à dos un tee-shirt semblable et me l'offre spontanément.

Je suis bouche bée, ne sachant comment le remercier !

« Reprends un verre !

— Non merci, camarade, je me sauve. On fait une photo souvenir, tu veux bien ? »

Puis il disparaît.

Je n'invente rien, je me souviens juste de cet événement.

Je n'en aurai jamais fini avec l'Espagne et c'est tant mieux. Ma vie d'adulte-enfant s'est construite ainsi. Je vieillissais mais ne le savais pas. Les années sont passées et, silencieuse, l'Espagne a toujours dormi en moi.

Je fais ce que mon destin m'a dicté : du théâtre, du cinéma, de la télévision, avec toujours ce désir secret, mon caprice espagnol...

Me revient à l'esprit le documentaire de Frédéric Rossif, *Mourir à Madrid*, rien que ce titre me déchira le cœur. Le film aussi. Je l'ai revu plusieurs fois avec le même désespoir, si pesant, si réel. Comment l'expliquer ? Si ce n'est par ce sentiment d'impuissance, de culpabilité... J'allais loin dans mes réflexions en le visionnant. J'ai pensé : ces visages que je regarde, ces gens qui fuient, courant avec leurs bébés, leurs femmes, les jeunes garçons, les petites filles, en pleurs, ces hommes aux visages graves, ces vieillards : ils tombent, se relèvent, retombent, chantent pour se donner du courage « *El Ejército del Ebro, rumba la rumba la rum bam bam* », et puis les ruines des maisons, des monuments, des églises en feu, ceux qui moururent pour le Christ-Roi, les carlistes, le général Franco qui ricane avec son bonnet à pompon, le cortège des milliers de personnes qui suivent l'enterrement de Durruti, le grand combattant anarchiste, l'exode de ces Espagnols, ces êtres humains, ces inconnus qui disparurent si vite et devinrent des ombres : comment aurais-je pu les aider ? Comment ?

Je me souviens des arguments de la non-intervention socialiste en Espagne du temps de Léon Blum et du Front populaire. (Léon Blum déclara : « Nous sommes des salauds... ») Et encore et toujours les noms d'Argelès et de Rivesaltes, et d'autres, ces camps où l'on a interné les Espagnols. Tout cela a martelé mon cerveau malade, accablé par le souvenir de ces cruelles années. Sans oublier le nom d'Antonio Machado, mort à Collioure avec sa vieille mère.

Et son poème...

« On l'avait vu, cheminant entre des fusils,
Par une longue rue[1] »...

---

1. Antonio Machado, « Le crime », *op. cit.*

Le choix d'aimer

Des années plus tard, dehors il fait nuit noire. Je ne remonterai plus dormir dans la chambre d'amis. Je m'approche de la baie vitrée. J'appuie sur l'interrupteur ; ce qui éclaire la terrasse dans un rayon de quelques mètres. J'ai une pensée pour Otto, mon ami suisse décédé récemment. Il nous a construit cette terrasse recouverte de bois traité, venu du nord de l'Europe et qui doit durer vingt-cinq ans. Hélas, les fameuses lamelles commencent à se fendre, des cloques apparaissent à certains endroits. Rien ne dure. Après tout, je m'en fous, je ne changerai pas la terrasse, je ne changerai rien. J'éteins la lumière. Allume ma chaîne hi-fi. Avant de dormir, je mets un CD d'Idir avec ma chanson préférée, « *A vava inouva* ». Je m'assieds sur le canapé, j'écoute, pars loin, très loin en Kabylie, au bled découvert si tard, avec Kirsten et Jonathan, après que le problème de mes origines a été résolu et que je retrouve ma tante Na Djidda, mon cousin Nacer et les autres... Et si une vie nouvelle s'offrait à moi tout à coup avec Muriel ? Et si je l'emmenais en Kabylie ? Et si tout recommençait comme toujours ? Et si... l'éternel retour ?... Et si j'étais moins con ? Et si je cessais de fantasmer ? Et si le monde cessait de me juger ? Et si je cessais de juger le monde ? Et si je cessais d'être en conflit avec lui ?

« Ne pas être en guerre », comme me l'a demandé Jonathan un jour où je suis désespéré par la violence permanente du monde et où je cherche à démentir avec des arguments fragilisés par ma colère une phrase du père de Kirsten : « Je persiste à croire que l'homme est bon ! »

Cela fait plus de cinquante ans que je l'ai entendue, cette phrase. Elle m'interroge encore. Parfois, je l'accepte. Souvent, je la redoute. Cet homme lui-même était bon. Mais la bonté ne se sème pas de par le monde.

Je ne sais pas combien de temps je dors sur le canapé. Un rayon de soleil percute mon œil droit. Je me réveille : 7 heures du matin. Mon moral est meilleur aujourd'hui. Mon emploi du temps va être simple : je prends une douche, je change de vêtements, je bois un café avec un morceau de baguette de pain rassis dans la cuisine. Je monte à mon bureau. J'ai très envie d'écrire ce journal intime qui tourne dans ma tête, envie de relater les événements auxquels je suis confronté, ces événements auxquels je participe malgré moi. Mais, non, mon moral n'est pas meilleur qu'hier, j'ai triché. C'est un mensonge volontaire, ma méthode Coué. Pourquoi serait-il meilleur, mon moral ?

Sur le clavier de mon ordinateur, j'écris : « Je ne trouve pas la solution de l'équation : Jonathan Isabelle Muriel. » J'inverse les facteurs, l'ordre des noms : Isabelle Jonathan Muriel. Je réfléchis intensément, cela ne m'aide en rien. Reste : Muriel Jonathan Isabelle. L'immédiate solution, c'est Muriel ! Comment l'expliquer à Jonathan ? Quoi qu'il arrive, il la détestera. Je ne lui demande pas de l'aimer, je m'en chargerai. Peut-être... Isabelle va se ranger dans le camp de Jonathan, c'est inévitable ! Je me retrouverai seul. Une fois encore abandonné. J'ai l'habitude. Je peux même dire : une vieille habitude. À ma naissance, ma grand-mère a refusé de me voir jusqu'à ma deuxième année. J'étais le fils d'un Algérien.

Par un jour de doute et de colère, je décide d'aller voir ma marraine en Normandie, accompagné de Kirsten et Jonathan. Cette vieille dame, ma mère ne la voyait plus depuis des années (je compris plus tard que j'en étais la cause...). Elle est la seule personne encore vivante qui peut me donner une explication quant au rejet de mon père par ma famille. À ma mère, je n'ai jamais posé de questions. Je me suis persuadé qu'aborder le sujet de ma naissance lui causerait une crise cardiaque, la terrasserait. Elle tomberait devant moi. Je serais son assassin. Coupable à perpétuité.

« Pourquoi, marraine, mon père n'a pas épousé ma mère ? Pourquoi ?

— Ah ça, mon petit... Tu veux vraiment le savoir ?

— Oui, marraine. Pourquoi ? »

Jonathan, Kirsten et moi attendons la sentence, le jugement, la parole définitive.

Ma marraine répond d'un ton neutre, comme si elle récitait une leçon bien apprise – elle a dû s'entraîner à voix basse avec peut-être un sentiment de honte, des dizaines de fois :

« Mais, mon petit, parce qu'il était algérien. »

Un détail est accroché à ma mémoire : la sœur de ma mère (devenue ma marraine) aurait évoqué la possibilité de me prendre (autrement dit de me kidnapper, de me voler) durant la nuit, pendant que ma mère dormirait, et de me placer à l'Assistance publique. Ma mère l'a appris. Par précaution, elle m'a tenu la main et ne l'a plus lâchée... Ai-je rêvé ? Qui m'a rapporté cela ? Je ne sais pas. Pourquoi suis-je en train d'y songer en ce moment ? Kirsten me souffle de changer de pensée, il n'est pas nécessaire de se faire du mal davantage. Je dois cesser ces horreurs. Mieux vaut écrire des contes pour enfants sages, *Blanche-Neige*, *Cendrillon*, *Le Petit Chaperon rouge*. Ce sera pour une autre fois. Pourquoi me torturer ainsi? Pourquoi? Mon espérance de vie est courte à présent, j'en ai bien conscience. Cette histoire d'abandon ne s'efface pas. Elle reparaît au détour de toutes sortes de situations. Muriel n'en sait rien. Peut-être lui en parlerai-je...

J'éteins l'ordinateur. Avant de lui tourner le dos, je lui jette un regard de mépris en pensant à toutes les horreurs qu'il contient. Je ne les efface pas pour autant. Bizarre... Au fond, je souhaite que quelqu'un les lise, quelqu'un que je ne connaîtrais pas, homme ou femme, peu importe; l'important, c'est qu'une trace de ce texte demeure dans une mémoire. Une seule, cela me suffira. Mais je suis faussement convaincu car, dans le même instant, je me dis que la postérité, c'est mieux quand on la vit...

Brusquement, je rallume l'ordinateur. Je vais écrire quelques phrases au sujet de Muriel. Je ne sais pas encore combien (deux? trois?). Je la connais à peine. Je ne sais même pas son âge! Comment le saurais-je? Je n'ai pas osé lui demander. Elle semble plus jeune que moi. Elle m'a même dit au restaurant que je ne faisais pas mon âge. Elle a dû le voir sur une de mes feuilles de paye lors du tournage. Ou le lui ai-je dit? À quel moment du repas? Aucun souvenir. Tout ce que je pourrais écrire à son sujet serait inventions, mensonges. Non, je n'écrirai pas. J'imaginerai juste une rencontre entre Jonathan et elle. C'est plus facile.

Ça commencerait ainsi:

«Alors c'est vous qui voulez prendre la place de ma mère?»

Ensuite, Isabelle:

130

« J'aimais beaucoup ma belle-mère. Vous ne la remplacerez jamais... »

Non. C'est trop, je déraille. La réalité me rattrape. La réalité, c'est l'attente. Elle n'est rien d'autre que l'attente qui remplit ma vie en ce moment. Quelle attente ? La résolution du conflit qui m'oppose à Jonathan ! Toute ma vie aura passé dans l'attente. Je ne suis pas le seul. Nous attendons tous, sans cesse. Quoi donc ? L'amour ! Seulement, uniquement l'amour. L'amour d'une mère, l'amour d'une femme, l'amour des femmes, l'amour des hommes, l'amour des enfants, l'amour des chiens, ces chiens qui attendent l'amour des hommes, ces hommes qui pleurent lorsqu'ils disparaissent. L'homme qui pleurera sa chienne, c'est moi, comme j'ai pleuré mon chien précédent.

Ce matin, je me fous du soleil qui « darde ses rayons » comme on dit ! Ce sera une belle journée, fort bien ! Et alors ? Il y en a eu des plus belles. Je ne veux pas penser, regarder le passé, je veux l'oublier, je veux regarder l'avenir en face. Que va-t-il se passer dans les heures, les jours, les mois, les années qui viendront ? Je me fous de Nostradamus et de ses prédictions, je me fous des cartes que l'on bat et rebat, je me fous de la dame de pique qui annonce la mort, de la carte (la dame de cœur entre autres) que l'on attend et qui annonce une rencontre, « avec quelqu'un dont vous allez tomber amoureux ou amoureuse dans les jours à venir, mais ne vous précipitez pas trop vite, même si Vénus vous est bénéfique dans sa conjonction avec Saturne, vous pourriez le regretter ». Kirsten était Scorpion. Muriel est Taureau, m'a-t-elle dit au restaurant. Moi, je suis Balance, Jonathan Gémeaux. La mère d'un de mes camarades de classe a calculé – étudié est plus juste – mon signe astrologique d'après la date et l'heure de ma naissance. L'heure de ma naissance ? 22 h 25 – la nuit est déjà tombée. Je fais mon entrée dans le monde en hurlant : « Je ne veux pas naître ! »

Personne ne m'a entendu. J'ai reçu ma première fessée à la première seconde ou peut-être à la deuxième... Mon astrologue a conclu que j'ai « un grand sens de la justice », allons donc ! Puis a affirmé que j'aurais des amitiés violentes. Elle a bien écrit « amitiés violentes » et non « amours »... Le jour de la disparition de Kirsten ne fut pas calculé, sans doute, sinon j'aurais, j'aurais quoi ? Trop tard... Longtemps, j'ai gardé le cahier où cette dame a effectué ses savants calculs et rédigé ses conclusions.

Je me sens terriblement anxieux, je tremble, j'ai mal à la tête, j'ai bu trop de ce whisky que je ne supporte pas. Bref, je joue au con. Je ne suis pas en état de rencontrer Muriel. Encore moins Jonathan. Pour d'autres raisons. Je ne me regarde pas dans la glace de l'entrée. J'éteins l'ordinateur et sors, mais pour aller où ? Aucune idée. Je veux juste éviter les gens. Ne pas parler, ne pas répondre à leur « bonjour ».

Penser « Muriel, Jonathan/Jonathan, Muriel », c'est tout ce qui m'occupe, ou plutôt me préoccupe. Je ne suis pas en état de travailler et n'ai aucun projet professionnel actuellement. Et pourtant je ne me laisse pas aller ! Je dois juste trouver une raison d'exister, faire comme Alceste : suivre ma destinée. Qui mène où ?

J'appelle Patoche. Elle arrive sur-le-champ. C'est l'heure de son repas : croquettes et bol d'eau fraîche pour la journée. Ensuite, elle va dans le jardin quelques instants, gambade, revient dans la maison. Je m'absente une heure aujourd'hui ; après, promenade au bois tout proche. Ça nous rappelle d'heureux souvenirs. Patoche est le seul être à qui je donne mon affection depuis que Kirsten n'est plus. J'ai des difficultés pour penser *n'est plus là* ! « Là », c'est-à-dire : dans mon espace vital.

Le plus difficile : attendre que le téléphone sonne et, en même temps, espérer qu'il ne sonne pas pour ne pas me distraire de ces idées qui me tiennent froid au cœur, et qui ainsi me conservent... Je sais, ce sont des idées bizarres. Elles me tuent lentement. D'accord ! Je sors.

« Sois sage, Patoche. Papa revient bientôt. Après, nous irons au bois... »

Non. Je n'en peux plus. Je dois appeler Muriel. Il le faut.

La sonnerie... Longtemps. Trop longtemps. Je me décourage. Trop vite peut-être. Je me raconte des histoires. Je n'ai pas le courage de raccrocher. Sans m'en rendre compte, je suis dehors, après avoir fermé le portail. Je marche dans la rue, mon portable collé à mon oreille. Je marche droit devant moi sur cent mètres. Je passe devant la villa de Mme Cousinat puis celle de M. et Mme Duflin, si bienveillants à mon égard. Un chat noir traverse la rue et vient me saluer. Kirsten me souffle d'arrêter, me demande de rappeler plus tard, pas la peine de s'obstiner. Je décolle mon portable de mon oreille. Je soupire. C'était trop beau ! Je ne la rappellerai pas. Ou si ! Peut-être plus tard, je ne sais pas. Et ma timidité ? Je l'avais oubliée ! Il y a des millions de timides dans le monde. Nous devrions constituer un club, avec une revue mensuelle, *La Revue des timides*, qui proposerait des conseils : « Ne lui prenez pas la main tout de suite... » Et les codes de l'amour ? Les codes de la « drague » ont dû changer depuis ma vieille jeunesse ! Même si je n'ai pas le sentiment de « draguer » Muriel. Pour moi, c'est un mot vulgaire. Muriel, c'est autre chose, c'est... C'est une main tendue vers moi. Un dernier avenir pour moi, pour elle aussi. A-t-elle la même perception des événements ? Notre rencontre est-elle une main tendue vers elle ? Et va-t-elle la refuser ? Je me souviens de ses mots au sortir du restaurant :

« Oui ! J'ai eu des prétendants. Je les ai refusés. Ils n'étaient pas les bonnes personnes. »

Cela ne me rassure pas, et me décourage encore plus. Serais-je la bonne personne pour elle ? Et quels sont ses critères ?

A-t-elle un questionnaire à me faire remplir ? D'emblée, je réponds *oui* à toutes les questions ; je veux avoir les félicitations du jury et des encouragements pour continuer de longues années d'études d'amour...

Et ces mots de George Bernard Shaw : « Il faut gâcher beaucoup d'amour avant de trouver qui en est digne[1] ! »

Ça me donne un coup de poignard dans le cœur.

Je fais demi-tour et attends des événements qui ne vont pas tarder à se produire. Ils risquent d'être violents. Luc, mon ami, m'avait mis en garde :

« Tu es en train de vivre une tragédie grecque. Protège-toi. »

Les personnages de cette tragédie sont : Jonathan, Isabelle, Muriel et moi. Et alors ? Notre destin serait donc de nous déchirer plutôt que nous aimer ? De continuer à nous aimer ? Ou bien de nous aimer jusqu'à la déchirure ?

Alors que je suis de retour devant le portail de la maison, Isabelle me téléphone.

« Bonjour, Isabelle. Je suis content que vous m'appeliez. Je rentre à l'instant de faire des courses. (Premier mensonge de la journée.) Ne quittez pas ! (Si elle pouvait quitter...) Ça y est, je suis dans la maison... Alors, comment vous sentez-vous ?

— Mieux. Le bébé est bien accroché. Je dois juste rester au lit... »

Je l'aime bien, Isabelle. Elle est intelligente et fine. Nous sommes souvent du même avis. Seulement pourquoi me téléphone-t-elle aujourd'hui ?

---

1. Tirso de Molina, *Le Timide au Palais* suivi de : François Billetdoux, *Pour finalie*, revue *L'Avant-Scène*, n° 284, 1963.

« J'en suis très heureux pour vous deux, enfin vous trois. Et à part ça, le travail ? »

J'ai tenté un petit rire en disant cela. Mon intervention est nulle mais spontanée. Je suis à l'écoute d'Isabelle. Elle va sauter sur l'occasion et me donner l'estocade.

« Écoutez, Daniel, vous savez que notre situation à tous les trois n'est pas facile, n'est-ce pas ? »

Nous y sommes. Que dire ? J'ai trouvé ! Je réponds en détachant les syllabes :

« C'est-à-dire ? »

Un silence s'installe entre nous. Gênant, lourd, pesant.

« Vous comprenez ce dont il s'agit, non ?

— Bah, pas très bien, Isabelle... »

Elle me laisse dans l'attente, volontairement, bien sûr.

« Je vous parle de Jonathan...

— Qu'est-ce qu'il se passe ? Il est malade ?

— Oui, Daniel, il est malade à cause de vous ! Par votre faute ! À cause de votre mensonge ! Il s'agit d'une femme, n'est-ce pas ? On ment toujours à cause d'une femme, non ? »

J'aimerais tomber des nues mais je m'y attendais... C'était plus que prévisible. Dire quelque chose d'intelligent est au-dessus de mes forces. Je ne prononce pas le mot « femme ». Je reprends :

« Pourquoi Jonathan se rend-il malade ? Pourquoi ?

— Revenez vers nous, vers votre famille, notre famille. N'écoutez pas le chant des sirènes, Daniel ! »

Là, je suis en pleine mythologie : les sirènes, Ulysse, les Érinyes avec un h ou sans h, je m'en fous ! J'ai le courage de raccrocher, ça ne résout rien, j'en suis bien conscient. Isabelle va raconter à son mari que j'ai raccroché, mis fin brutalement à la conversation. Et, pendant ce temps-là,

Muriel ne m'appelle pas ! Elle ne m'appellera plus jamais. Je suis un pauvre type. Un pauvre type, ça se passe de défi- nition. Il suffit de se regarder vivre et s'entendre penser. Ma vie entière est celle d'un pauvre type. Vas-y, enfonce-toi ! Plus bas encore ? Je viens juste de toucher le fond en manquant de confiance dans chacun de mes actes. Je n'au- rais pas dû agir ainsi avec Isabelle. Elle ne le mérite pas. Elle défend Jonathan, c'est normal ! Contre quel ennemi invisible ? Je ne suis pas son ennemi et je suis encore moins invisible. Elle n'a jamais vu Muriel. Qui ne m'appelle pas. Pourquoi ? C'est fini, nous deux ? Était-ce un début d'his- toire d'amour ou me suis-je fait des idées ? Et elle ? Qu'en pense-t-elle en ce moment ? Repasse-t-elle dans sa tête les bribes de dialogues échangés ? Y cherche-t-elle un sens ?

Aide-moi, Kirsten, aide-moi ! Tu m'as si souvent aidé ! Tu as passé ta vie à m'aider ! Et moi, t'ai-je aidée autant que tu l'as fait pour moi, dans tes moments de dépression, de doute, d'anxiété ?

Je n'ai pas faim ce midi. Je ne mangerai pas. Juste un yaourt. C'est déjà trop. Je vais aller au cinéma à la séance de 15 heures, histoire de passer le temps. Entrer dans la salle, choisir un film au hasard pour le plaisir d'éteindre mon téléphone portable. Le film terminé, je l'allumerai et je prendrai connaissance du message de Muriel ou de ses messages... Il y en aura peut-être plusieurs. Un seul suffit.

Je vais à pied jusqu'à Montparnasse. Je profite du soleil. Depuis quelques années, il nous réchauffe de moins en moins. Peut-être est-il fatigué, tout comme moi... À Montparnasse, je suis face au cinéma multiplex. Je n'ai plus qu'à choisir le film qui m'éloignera au moins deux heures de mes pensées négatives. Non ! Impossible ! Je ne peux pas y aller seul. C'est décidé : j'invite Muriel. Mes doigts tremblent en composant son numéro. Je redoute sa réponse, qu'elle soit positive ou négative. Elle doit être libre aujourd'hui, en principe. Elle ne travaille pas sur le budget d'un nouveau film. Elle veut prendre un peu de repos.

Si sa réponse est négative, je ne la rappellerai plus. J'hésite à me faire pareille promesse... Allez, courage ! Ce n'est qu'un coup de téléphone ! Un coup de téléphone peut changer le cours d'une vie, de deux vies, la mienne et la sienne... Comme l'a écrit Jean-Paul Sartre, nous sommes tous responsables de nos actes, bons ou mauvais. (Jean-Paul Sartre, appelé par Boris Vian « Jean-Sol Partre » !)

Je suis donc responsable de cet appel à Muriel. Elle décroche.

« Allô ? Muriel ? C'est...

— Oui. Je t'ai reconnu. Tu vas bien ? »

Sa voix est douce. Comme son visage, resté gravé dans ma mémoire depuis la soirée du restaurant chinois.

« Je te dérange ? »

Combien de fois dans ma vie j'ai utilisé cette formule, « Je te dérange ? », sans oser penser que l'on me réponde : « Un peu. J'étais en train de... » Encore une fois, la réponse semble positive, « en ma faveur » :

« Pas du tout, je t'en prie...

— Écoute, je suis à Montparnasse. Cet après-midi, je n'ai rien à faire de spécial, je me suis dit que j'irais bien au cinéma et que, si tu étais disponible, eh bien, je t'inviterais à venir avec moi, voilà, c'est tout. »

Prudemment, j'ajoute :

« Bien sûr, tu es libre de refuser... »

Sa réponse est inattendue :

« Je te remercie pour ton invitation mais, comme il fait soleil, tu ne préfères pas aller te balader ? J'ai un rendez-vous professionnel à 17 heures. Si tu le souhaites, on peut prendre un verre à Montparnasse, je t'y rejoins dans un quart d'heure... Ensuite on part se promener, prendre l'air.

— D'accord! À tout à l'heure. Je t'attends devant Le Dôme, tu vois le grand café? C'est celui-là. »

Elle raccroche. Que faire en l'attendant? Un quart d'heure, c'est long, surtout quand on n'a pas établi de programme à l'avance. Je n'aime pas improviser. En fait, je ne vais pas entrer au Dôme. Je déteste attendre seul dans un endroit public. C'est toujours louche, un homme qui attend seul... de mon point de vue. Je m'appuie contre un réverbère, face au cinéma, de l'autre côté de la rue, prêt à compter le nombre de feux rouges jusqu'à l'arrivée de Muriel. Au quatrième feu rouge, j'abandonne, je me lasse. Je traverse la rue et je me dirige vers Le Dôme. Le boulevard du Montparnasse est toujours animé. C'est la vie immédiate avec des êtres humains qui me dépassent, me croisent, des couples de jeunes, des vieux qui se tiennent par la main.

Je suis seul, et je voudrais être deux.

Quand Muriel arrivera, nous entrerons au Dôme, nous choisirons une table. Le serveur accourra en disant : « Non, pas celle-là, je regrette, elle est réservée. Prenez celle-là, vous serez mieux... » Après avoir pris les consommations, nous sortirons pour faire cette balade proposée par Muriel. C'est là que l'histoire se complique... Oserai-je lui prendre la main ? Pourquoi pas ? Une balade main dans la main, c'est une tradition qui ne date pas d'aujourd'hui. Autant être dans la tradition... Je serai conventionnel, c'est tout. Je me rassure ! Je passe en attendant devant la Maison des artistes. Ma mémoire a le temps d'évoquer les peintres, les écrivains et les sculpteurs qui logèrent dans ce quartier : Matisse, Marcel Duchamp, dont j'ai vu une exposition à Buenos Aires, Gauguin, Léger, Paul Fort et « son bonheur [qui] est dans le pré, cours-y vite[1] », et moi qui le crois, à cet instant, qui cours après et qui... trop tard,

---

1. Paul Fort, « Le bonheur » in *Ballades françaises*, Flammarion, 1982.

il a filé ! Hemingway et son *Vieil homme et la mer*, et *L'Adieu aux armes*, sur la Première Guerre mondiale, cette guerre, toutes ces guerres ; Chagall, Camille Claudel… Mon effort de mémoire m'a fait passer deux minutes. Tous ces noms-là, je les connais depuis mon adolescence. Dans cette période, ma curiosité est immense. Avec l'argent de poche donné par ma mère, j'achetais un livre par mois et une revue mensuelle qui publiait des reproductions de peintres célèbres. Ainsi, je me suis constitué mon musée du Louvre et ma Bibliothèque nationale.

Jonathan m'inquiète, c'est ça le problème. J'ai beau me voiler la face, j'y reviens sans cesse. Kirsten me souffle encore une fois d'être patient. Les choses vont s'apaiser. Il faut laisser le temps faire son œuvre. Donner du temps au temps, c'est nul. Le temps qui m'est imparti touche bientôt à sa fin. Je vous ai laissés vivre, je ne vous ai pas interrompus, alors laissez-moi vivre, s'il vous plaît !

J'arrive à quelques mètres du Dôme. Je m'arrête et regarde autour de moi. Je baisse les yeux et je vois les feuilles recouvrir les grilles des arbres. Cela me rappelle la sinistre date du 8 février 1962. Au cours d'une manifestation contre la guerre d'Algérie, réprimée par l'État, des manifestants tentent de pénétrer dans le métro afin d'échapper aux CRS, station Charonne. L'entrée est fermée ce jour-là. Neuf personnes meurent, tuées sous des grilles d'arbres jetées sur eux par les CRS de l'époque, et sans aucune possibilité de fuir. Je descends alors le boulevard de la Chapelle quand j'apprends cet événement horrible. Je n'ai jamais oublié ce jour. Jamais. Quant à la rafle des Algériens qui manifestent pacifiquement et sans aucune arme le 17 octobre 1961 à Paris, là encore, je souffre de me remémorer ce souvenir. À cette période, je ne connais rien de mes origines. Maintenant je les connais, grâce à Kirsten qui m'a soutenu dans cette pénible épreuve.

J'attends Muriel, son sourire, comme j'ai tant et long-
temps regardé celui, inoubliable, de Kirsten.
Je lève les yeux. Muriel est à quelques mètres de moi.
«Bonjour. Je t'attendais.»
C'est très bête, je sais. Je ne trouve rien d'autre à dire.
Elle vient à mon secours :
«Eh bien, tu vois, je suis là !
— Tu as de la chance, le soleil t'accompagne... Enfin,
je dirais plutôt : nous avons de la chance, le soleil nous
accompagne !»
Elle enchaîne :
«Le soleil brille pour tout le monde. Enfin, il devrait
briller pour tout le monde. Malheureusement, ce n'est pas
toujours le cas.»
Sa phrase demande un développement mais je ne
veux pas lui dire : «C'est-à-dire ?»
«Tu as raison. Viens, allons prendre un verre avant
de nous promener dans la forêt de Saint-Germain-des-Prés.
Je dis "la forêt", c'est pour rire, bien sûr... Entrons... Tu veux
te mettre à cette table ?»
Muriel n'a pas le temps de répondre. Un serveur
accourt du fond de la salle, avec son tablier blanc.
«Ah, je suis désolé, messieurs dames, mais cette table
est réservée. Installez-vous plutôt là, à celle-ci, vous serez
mieux.»
Il désigne une table à deux mètres de nous, près de
la vitre.
Non. Nous ne serons pas mieux. Je ne veux pas
discuter pour une table près d'une vitre, je m'en fous.
«Assieds-toi, Muriel.»
Face à nous, debout avec son plateau tenu à bout de
bras, le serveur attend avec son : «Qu'est-ce que je vous sers ?»
Une force me pousse à lui répondre :
«Rien !»

Pour que ma blague ait un petit succès, je glousse.
Muriel sourit. Le serveur enchaîne :
« Mais à part ça ? »
Je me résous :
« Que souhaites-tu boire, Muriel ?
— Qu'est-ce que vous avez comme thé ?
— Thé de Ceylan, thé à la bergamote, thé au jasmin... »
À ma grande satisfaction, Muriel interrompt le
serveur :
« Au jasmin. Je prendrai un thé au jasmin...
— Très bien. Et pour monsieur ? »
Ça devient long. Il ne cesse de regarder Muriel.
Je tiens ma revanche :
« Un demi... Qu'est-ce que vous avez comme bière ?
— Pression, Carlsberg, Heineken, Stella... »
Je fais semblant de réfléchir intensément, fronce les
sourcils trois secondes et réponds, faussement inspiré :
« Une Carlsberg, merci. »
Le « merci », c'est pour lui donner congé. Il a compris.
« Très bien. »
Très sec son « très bien », très sec. Il trouve le moyen
d'ajouter :
« Et pour madame, une petite pâtisserie lui ferait
plaisir, peut-être ? »
Muriel fait non de la tête.
Il s'éloigne enfin. Il m'a contrarié. Il a trop regardé
Muriel, ça ne me plaît pas, ça ne m'a pas plu. Je devrais
pourtant faire bonne figure, ne pas montrer un début de
crise de jalousie à Muriel. Pourtant je lui fais remarquer
l'attitude du serveur à son égard :
« Il est bizarre, non, tu ne trouves pas ?
— Qui ça ?
— Bah, le serveur... Il n'arrête pas de te regarder. »
D'une voix douce, elle dit :

« Ça lui passera. »

Elle est indulgente, Muriel. Pas moi.

Sans trop savoir pourquoi, je lui demande son signe astrologique – que je connais déjà, pourtant.

« Taureau. Et toi ?

— Balance ! »

Je suis heureux d'ajouter avec un sourire :

« Comme Mozart... »

Ce détail me valorise chaque fois que j'évoque mon horoscope, auquel je ne crois pas. Le serveur revient. Je ne le regarde pas. Sa voix nasillarde annonce :

« Et voilà un thé au jasmin pour madame. »

Il pose la théière et la tasse. Deux sucres meublent la soucoupe.

« Et une bière pour le jeune homme ! »

Mon irritation fait place à la haine. J'ai toujours eu horreur d'être appelé « jeune homme ». Même lorsque je l'étais. Je suis à deux doigts de l'insulter. Je me contrôle en fixant des yeux la tasse de Muriel. Je règle les consommations pour éviter de le revoir une troisième fois. Il encaisse, rend la monnaie, s'éloigne. D'habitude, je laisse un pourboire. Vu son attitude déplaisante, je ne lui laisserai rien. Ou alors très peu... Muriel remue son thé avec sa cuillère. Je parle le premier :

« Tu sais, l'expression "jeune homme", que le serveur a employée, me rappelle qu'à treize ou quatorze ans ma mère et mon père adoptif m'emmenaient pour m'acheter des chaussures. Je redoutais le moment où le vendeur demanderait : "Qu'est-ce que je peux faire pour ces messieurs dames ?" Mon père adoptif répondait en me désignant : "On voudrait des chaussures pour le jeune homme !"

— Oh ! ce n'est pas bien méchant ! rétorque Muriel.

— Peut-être. Seulement à chaque fois je rougissais. J'étais vexé ! Je n'avais pas la taille d'un jeune homme.

Parfois, il variait les présentations, changeait de formule et disait : "On voudrait des chaussures pour Toto !" »

Ma mère gloussait dans son dos. Le vendeur esquissait un sourire qui sentait le cuir et le chausse-pied.

« Si ça te fait si mal, tu devrais essayer d'effacer ça de ta mémoire. Ce n'est pas si grave. Tu es trop sensible.

— Tu trouves ?

— Oui. On ne reviendra pas dans ce café... *jeune homme.* »

Quand elle me dit qu'« on ne reviendra pas dans ce café », je traduis tout de suite : « Nous ne reviendrons pas... » Cela signifie sûrement en langage amoureux : « Nous irons dans un autre café. »

Son sourire m'a calmé. J'ai sans doute exagéré. Mais je n'ai plus envie de boire mon demi. Je suis de mauvaise humeur alors que je devrais être content, heureux, réjoui, ravi : je suis assis face à Muriel ! Elle est venue me rejoindre d'elle-même, sans hésiter. Je dois avouer la raison de cette irritabilité : aujourd'hui, c'est l'anniversaire de Jonathan. Ce soir, j'irai chez lui et Isabelle leur faire une belle surprise, malgré nos désaccords, mineurs selon moi et qui s'atténueront en quelques phrases, j'en suis sûr, au début de la soirée. Ce qui est troublant, c'est que mon fils ne m'ait pas téléphoné depuis quelques jours pour m'inviter, comme il le fait chaque année. Isabelle non plus. Je viens de penser à tout cela très vite, à peine trente secondes. Je retrouve Muriel en face de moi, silencieuse depuis son « jeune homme ». Je n'en suis pas vexé, j'en suis même heureux.

« Et toi, dis-je, tu n'as pas de souvenirs malheureux au sujet de ton enfance ?

— Oh si, bien sûr ! Mon nom a souvent été raillé, notamment par un de mes professeurs qui ne m'aimait pas et m'avait surnommée, d'un ton méprisant, la princesse. Comme tu le sais, je suis italienne, et avec mon nom, Di Giovanni, il

m'avait inventé une famille noble. La princesse Di Giovanni...
J'en ai assez souffert puisque je m'en souviens encore. »

J'ajoute une phrase banale et profonde à la fois :

« La cruauté existera toujours. »

Pourquoi le prénom de Jonathan me revient-il soudainement à l'esprit ? Il n'est pas cruel. Je pense juste à lui et cela m'attriste. Quelques secondes passent.

« Tu veux qu'on aille se promener avant ton rendez-vous ?

— Si tu veux... »

Arrive l'examen principal. Je dois le réussir même si je n'ai rien révisé depuis quelque temps : prendre la main de l'autre. Ça devient à cette seconde mon obsession première. Comment faire ? Pour nous deux, le boulevard du Montparnasse, c'est notre forêt, nos étendues de pins, notre jungle. Les gens nous croisent par groupes sans nous regarder, sans la moindre attention. Nous descendons sans nous presser, évitant quelquefois des jeunes gens, garçons et filles en train de s'amuser, de rire. Nous nous poussons alors. Un miracle se produit : un jeune homme venant dans notre direction, tout près de la Maison des artistes, bousculé par un ou une de ses camarades, heurte sans la moindre intention Muriel. Déstabilisée, elle fait un faux pas, tente de reprendre son équilibre en s'accrochant à mon bras gauche. Nous nous regardons, nous nous sourions. Elle s'apprête à se détacher de moi. Délicatement, c'est moi qui détache sa main de ma manche avec ma main. Je ne l'enlève pas. Elle non plus. Nous n'échangeons aucun mot et continuons notre promenade.

« Il aurait pu te faire tomber.

— Oui. Mais tu étais là. C'est cela la chance. »

Avec des mots comme ceux-là, le cœur bat plus fort.

Nos mains se sont unies. Nous atteignons le boulevard des Invalides, moins peuplé que celui du Montparnasse.

Je ne suis pas devin mais cinéphile, c'est ma culture. Dans la situation que nous vivons, il est temps de parler d'un film que j'aime. Nous ralentissons notre marche, nous nous arrêtons. Je profite du silence de Muriel.

«Dans un film de Chabrol... Tu aimes Chabrol?

— Oui. J'aime tous les Chabrol...

— Alors tu dois aimer *Le Boucher*?

— Oui, bien sûr.

— Eh bien, dans *Le Boucher*, il y a une scène où, au cours d'une promenade en forêt, le personnage demande timidement à la jeune femme qui a dû vivre une déception amoureuse: "Et si je vous demandais de vous embrasser?" Tu t'en souviens?

— Non. Je me souviens du film en général, mais pas de cette scène... Non, je ne vois pas... Et la jeune femme répond quoi?

— Elle répond: "Je vous demanderais de ne pas le faire." Qu'en penses-tu?»

Muriel se tait. Puis quelques mots explicites de sa voix douce:

«C'était peut-être trop tôt...»

Ne m'avait-elle pas dit auparavant: «Il faut être patient»?

Je n'aurais pas dû lui raconter cette scène, je m'en veux. L'important est qu'elle ne m'ait pas lâché la main. Elle aurait pu le faire. J'aurais éprouvé de la honte. Je me serais traité de tous les noms. Je l'aurais mérité. J'aurais eu envie de fuir droit devant moi, me cogner contre un arbre, un chêne, un peuplier, j'aurais voulu me faire mal, saigner abondamment, m'assommer. Au point où j'en suis: me mutiler! Abandonné par cette femme considérée comme une main tendue, considérée comme *une* traître par mon fils... Je ne suis pas passé loin de la catastrophe.

Nous reprenons notre marche sur le boulevard des Invalides. L'incident n'est pas clos puisqu'il n'y a eu aucun incident. Au fond de moi, je perçois ce qui ressemble à une alerte rouge qui se transforme en silence pesant, ou plutôt gênant, qui a duré trente secondes environ. Je me promets de ne jamais plus évoquer la réplique d'un film devant Muriel ! Je mettrai mon visa de censure numéro 1939 chaque fois que j'aurai envie de citer une phrase qui m'aura fait rire ou pleurer, et qui appartiendra à mon histoire, et ce devant Muriel ! Ce sera ma punition à l'avenir. S'il y a avenir. Plus tard, quand je raconterai l'anecdote de la réplique du film, je conclurai par : c'était ma punition dans le passé !

Muriel s'arrête et tourne son visage vers moi.

« Je vais devoir te quitter à présent. Sinon je vais être en retard à ma réunion. »

Elle jette un coup d'œil à sa montre.

Ma réaction est conventionnelle mais rodée depuis des générations par des êtres humains qui se sont séparés, vont se séparer et qui se sépareront pour les siècles des siècles (et d'autres siècles encore) :

« Déjà ?

— Oui, je ne veux pas être en retard. Ils sont tellement nerveux à la production. Ils me stressent avec leur budget... »

Elle n'a pas lâché ma main. Seuls nos doigts se desserrent un peu, puis chaque main reprend sa liberté. Là, je dois trouver une formule pour prendre congé. La plus simple, c'est encore celle-ci :

« Je t'accompagne, si tu veux. On prend un taxi. »

Elle répond doucement, en souriant :

« Non, je vais prendre le métro. Ça ira plus vite. Avec tous ces embouteillages... »

Si elle pouvait continuer sa phrase, une phrase aussi

longue que dans Proust, je pourrais encore contempler son sourire dont je ne peux me détacher.

« Je prends le métro à Invalides... Au revoir. Merci pour le thé. »

Au-dessus de moi, Kirsten me souffle de couper court. Il y a eu trop d'événements cet après-midi : Le Dôme, le serveur, la bousculade sur le boulevard du Montparnasse et, le comble, l'incident de « c'était peut-être trop tôt ».

« Au revoir, Muriel, et merci pour cet après-midi passé en ta compagnie. »

Je me rapproche d'elle, délicatement l'embrasse sur les joues ; elle aussi. Au même rythme. Elle me tourne le dos, à quelques mètres se retourne.

« J'aime ta sincérité. Conserve-la. C'est si rare. »

Elle descend les marches de la station de métro. Énigmatique Muriel. Et moi, un vrai coffre-fort à secrets ouvert à tous les clients de la banque.

À cet instant, je la revois pleurant à ce cocktail de production, évoquant sa sœur décédée, avec une amie déplorant, elle, la mort de son père. Kirsten et moi présents ce jour-là.

Pourquoi y repenser ?

Le trouble

Je suis K.-O. à cause de Jonathan qui fête son anniversaire aujourd'hui même! Il ne m'a pas téléphoné pour m'inviter ce soir. Isabelle non plus. Chaque année, quand Kirsten était là, c'est elle qui lançait les invitations, proposant différentes dates si Jonathan était pris par son travail ce jour-là. Chacun de nous faisait tout son possible pour que cette fête soit célébrée le jour attendu! Je les excuse : ce serait difficile pour moi de préparer quoi que ce soit. Ou alors je peux les inviter au restaurant. Non. Je ne peux pas... Je me rappelle l'épisode du restaurant chinois et ce qui s'ensuivit, hélas. Je dois oublier ma rancune, offrir un cadeau à Jonathan, des fleurs pour Isabelle – une belle orchidée, la fleur préférée de Kirsten –, sonner chez eux à l'improviste, et ils m'ouvriront. Nous nous embrasserons, et je dirai : « Joyeux anniversaire, Jonathan! », sans oublier un : « Je ne vous dérange pas au moins ? Vous attendiez peut-être des invités ? »

Quelle que soit la réponse, bonne ou mauvaise, j'improviserai.

Si elle est mauvaise, je ne sais pas quelle sera ma réaction. Si elle est bonne, je dirai, enjoué : « Je ne pouvais pas ne pas fêter l'anniversaire de mon fils. Nous n'en avons jamais oublié un seul quand ta mère était parmi nous. Elle l'est toujours d'ailleurs ! »

On verra, je verrai, ils verront.

Mes pas me dirigent vers la rue de Rennes. Seulement, j'ai trop marché. Je suis fatigué. Je rentre dans une librairie, jette un coup d'œil parmi les rayons. Un vendeur s'approche.

« Je peux vous renseigner ?

— Non merci, j'ai horreur qu'on me renseigne. »

J'appuie ma phrase d'un petit rire. Le vendeur sourit, preuve qu'il a compris la blague, la boutade, le mot d'esprit, le trait.

« Je vous laisse faire votre choix. »

Il s'éloigne vers d'autres clients. Je regarde les titres de quelques livres et repose délicatement ceux que j'ai soulevés de quelques centimètres. J'aperçois le rayon beaux livres, avec de très belles couvertures sur le Maroc, les Pays-Bas... Je repense à l'ouvrage de Prosper Mérimée, *Les Espagnols en Danemark* et, bien sûr, à Paco et Rosita. Je m'approche de ces merveilles. Je n'hésite pas un instant, je choisis *L'Origine des Berbères*. Coupée en deux parties, la couverture représente une chaîne de montagnes, je crois reconnaître le Djurdjura, puis le Sud, avec des Bédouins, des chameaux. Ou des dromadaires. La différence des bosses de ces camélidés m'indiffère. Le livre rappellera à Jonathan le pays de ses lointains ancêtres, l'Algérie. En soulevant le livre qui doit peser au moins cinq ou six kilos, je m'adresse à un vendeur qui me surveille de loin :

« Je prendrai celui-ci. Vous pouvez me faire un paquet-cadeau ? »

Rien n'est trop cher pour mon fils.

Je sors mon portefeuille, ma carte bleue, l'introduis dans la machine posée devant moi, tape mon code tandis que le vendeur, d'un air faussement pudique, détourne les yeux, comme s'il rougissait devant une jeune carte bleue se déshabillant pour la première fois.

« De quelle couleur, le papier ? Rouge, violet, noir... vert ?

— Vert. Vert, c'est très bien... »

Il sort un rouleau de papier cadeau d'un grand tiroir, emballe le livre, colle avec des morceaux de scotch les extrémités, prend un long ruban rose et fait un nœud, puis deux, avec des ciseaux frise les morceaux de ruban qui pendent... Je réfléchis et je me dis que le cadeau est lourd. J'ose demander :

« Vous n'auriez pas un sac afin que je puisse le transporter ?

— Bien sûr. Il n'est pas gratuit, hélas. Les temps changent ! C'est vingt centimes. »

Je sors de la librairie. J'ai perdu du temps. Il me faut aussi une orchidée pour Isabelle. Je vais être chez eux vers 19 h 30. Cette orchidée, je la choisirai pour ma belle-fille en pensant très fort à Kirsten qui adorait offrir des cadeaux...

Je ne peux pas marcher longtemps avec le poids de ce sac.

Je hèle un taxi qui s'arrête.

« Vous allez où ?

— Place Denfert-Rochereau, s'il vous plaît.

— Montez ! »

J'ai pris le ton le plus aimable tant j'ai peur qu'il me refuse. J'ouvre la portière, me dépêche de m'asseoir sur la banquette arrière.

« Vous avez de la chance, vous êtes mon dernier client. Après vous, je rentre chez moi. »

Être son dernier client, je m'en fous. Je vais chez mon fils, c'est tout.

Je reste silencieux en prenant un air renfrogné ; je sais le prendre quand je souhaite que l'on ne me pose pas de questions. Et ça marche. La course est silencieuse. Je songe à la soirée à venir pour tous les trois. Hélas, le bonheur de ce trajet silencieux est progressivement gâché à l'idée de n'avoir pas insisté pour prendre un taxi avec Muriel ; j'aurais pu rester plus longtemps à ses côtés. La circulation n'est pas trop dense aujourd'hui. J'aurais dû insister... Je me le reproche. Tant pis. Ma décision est prise : j'offrirai aussi une très belle orchidée à Muriel pour me faire pardonner. Elle ne saura pas de quoi ! Si je la revois bien sûr. En attendant d'arriver place Denfert-Rochereau, je fais appel à la méthode Coué qui me propose un simple exercice mental, répéter : *Oui, je la reverrai ! Oui, je la reverrai ! Oui, je la reverrai !* Je n'y crois pas mais veux y croire ! J'essaie. Si je ne la revois pas, je ne croirai plus jamais à cette méthode. Je ferai l'exercice inverse : *Je ne croirai plus à cette méthode. Je ne croirai plus à cette méthode !*

Le taxi s'arrête.

« Voilà. Ça fait dix-sept euros ! »

Je règle la course, lui laisse un pourboire et sors de la voiture. Pendant tout le trajet, j'ai serré le sac plastique et son contenu : *L'Origine des Berbères.* Comme un trésor que j'offrirai à Jonathan.

Je m'engage dans l'avenue du Général-Leclerc, bruyante, et si vivante. Ils habitent un immeuble ancien. Chaque fois que je vais chez eux, je ne peux m'empêcher de revoir l'immeuble insalubre où nous habitions, ma mère, l'intrus et moi... J'aperçois le magasin de fleurs de l'autre côté de l'avenue. Il m'aide toujours à me repérer. Je traverse au feu vert, serrant sous mon bras gauche ou droit (j'en change toutes les trois minutes) le cadeau de Jonathan. Je contemple toutes ces fleurs, ces plantes vertes, ces arbustes. Je distingue un poinsettia avec ses fleurs rouges, appelé par Kirsten « étoile de Noël ». Je détourne mon regard d'un groupe de géraniums et d'hortensias. Une jeune fleuriste sort de la boutique. Je ne peux détacher mes yeux de cinq orchidées toutes plus belles les unes que les autres avec leurs couleurs violettes, blanches... J'en demande une, la plus jolie.

« Prenez celle-ci. Vous voyez, elle aura plein de fleurs dans quelques jours. Vous l'arrosez une fois par semaine, pas plus... »

Elle met un cache-pot sur l'orchidée et je demande : « Vous n'auriez pas un sac pour la transporter ? Comme vous le voyez, j'en ai déjà un, mais il est plein. »

Je me sens obligé d'ajouter à voix haute :

« Je vais à un anniversaire, celui de mon fils.

— Une orchidée pour votre fils ?

— Non, pour ma belle-fille. Le vrai cadeau, il est dans l'autre sac. Allez, merci. »

Je suis à cinquante mètres de chez Jonathan et Isabelle. Brusquement, sans prévenir, ma joie de les voir fait place à de la fébrilité. Je sens de la chaleur en moi, une sorte d'excitation bizarre. Je suis oppressé, je change trois fois de bras les sacs qui pèsent de plus en plus lourd. Je m'arrête quelques secondes. Enfin je me remets en marche...

Tout à mes pensées qui me tourmentent mais que je ne m'avoue pas, je marche et... m'aperçois que j'ai dépassé l'immeuble de Jonathan.

Je fais demi-tour. Cette étourderie m'a permis de me calmer.

À vingt mètres de moi, l'immeuble. Je me dis qu'ils ont de la chance, les enfants, d'habiter près de ce magasin. Comme s'ils possédaient leur propre jardin fleuri en sortant de chez eux. J'espère que le code de l'immeuble n'a pas changé... Non. Le portail s'ouvre sur le dernier chiffre du code, le sept. Ils ne s'attendent pas à la surprise que je vais leur faire. J'ouvre la porte intérieure qui donne accès à l'ascenseur, je pousse péniblement la grille avec mes deux paquets, la referme et appuie sur le bouton du troisième étage. L'ascenseur est vieux et donc lent. Il lui reste un étage à monter. Allez, courage ! Je m'adresse à lui comme à moi. Je me fais la promesse de redescendre à pied après la belle soirée qui vient ! Voilà, arrivé. Toujours encombré. À droite sur le palier, je sonne et attends... Derrière leur porte fermée, j'entends des pas dans le couloir de leur appartement. Ils sont là ! Qui va ouvrir ? Jonathan ? Isabelle ? Tous les deux ? La porte n'a pas de mouchard, cet œil intérieur qui permet de voir qui frappe ou sonne. Elle s'ouvre. Jonathan apparaît... Son visage est fermé, tendu. Pas un mot ne sort de sa bouche. Il me dévisage un instant. J'en profite pour lui tendre son cadeau.

« Joyeux anniversaire, mon fils », dis-je en l'embrassant.

Je pressens que quelque chose ne va pas, je le devine dès les premières secondes. Quelque chose va se passer – mais quoi ? Je ne connais rien à ce genre de situation. Je ne sais à quoi m'attendre.

« Entre. Tu es le seul invité. On n'attend personne. À part maman qui ne viendra pas ce soir... »

Ses mots me font mal, c'est sans doute ce qu'il souhaite. Il referme la porte. Je fais quelques pas dans le couloir. Isabelle sort de la cuisine. Je lui offre l'orchidée malgré l'absence de tout sourire. Elle me remercie et m'embrasse.

« On ne vous attendait pas, mais c'est bien que vous soyez venu. Merci pour l'orchidée, la fleur préférée de Kirsten, non ? »

J'acquiesce. Jonathan tient son livre à bout de bras. Il n'a pas l'air pressé de l'ouvrir. Il le tourne et le retourne. Il va parler...

« T'aurais pu venir avec ta chérie... »
Je fais semblant de ne pas comprendre.
« Quoi ? Quelle chérie ? De quoi tu parles ?

— Tu le sais très bien, papa. »
Je me défends avec mollesse :
« Non. Je ne sais pas.
— Parlons d'autre chose. »
Aucun sujet à proposer. Je suis debout dans le couloir et n'entre pas dans la salle à manger.
« C'est bien que tu sois venu, papa. Je ne t'ai pas appelé parce que j'étais débordé au journal avec la mort de ce guide de montagne, tu sais, celui qui a été kidnappé en Kabylie. »
L'événement qu'il relate est authentique mais je sais qu'il ment.
« Ah oui... Mais un petit coup de fil, ça ne dure pas longtemps.
— Rajoute un couvert, demande Isabelle de la cuisine.
— Même deux, ce sera celui de maman. À côté de ta chérie... »
Jonathan cherche l'affrontement, c'est clair comme de l'eau de roche.
« Écoute, Jonathan, je suis venu pour te souhaiter ton anniversaire, d'accord ? Comme nous le faisions tous les ans. Si je dois entendre toute la soirée des piques, des reproches que je ne mérite pas, des remontrances, des sous-entendus qui n'ont aucun sens, je préfère m'en aller ! »
Il est resté près de la porte. Il n'a pas lâché son livre. Il respire fort.
Il hausse le ton :
« Tu sais pourquoi on ne t'a pas dit de venir aujourd'hui ? Voilà la vérité : tu as mis une annonce pour vendre notre maison ! Tu n'as pas attendu ! La vendre, c'est ce que tu voulais tout de suite après le décès de maman. Tu ne m'en as même pas parlé ! (Il hurle.) Tu ne m'as même pas demandé mon avis ! »

Mes jambes sont molles à présent. J'encaisse difficilement. J'ai encore la force de répondre :

« Une annonce, ça ne veut pas dire que je vais la vendre, ça peut prendre du temps. Je la fais seulement estimer. Ce n'est pas si grave !

— Si, c'est grave. Tous mes souvenirs d'enfance vont disparaître. D'autres que nous respireront l'air de notre maison où nous avons été heureux. Tu te rends compte de ce que tu fais ? Ou alors tu es débile !

— Oh, je t'en prie, Jonathan. Et d'ailleurs comment sais-tu que j'ai mis une annonce pour vendre la maison ?

— Par le journal *De particulier à particulier*. Isabelle et moi souhaitons, nous aussi, déménager pour que le bébé ait sa chambre. Il naîtra dans deux mois. Tu aurais pu penser à nous, à notre avenir. Ce soir, tu viens avec ta fleur et ton cadeau, comme si rien ne s'était passé. Non seulement maman n'est plus là, mais en plus tu vends la maison et retrouves ta chérie après dîner, c'est ça ? »

Deux secondes de réflexion me suffisent pour conclure :

« Je crois qu'il vaut mieux que je parte... Quoi que tu me reproches, Jonathan, tu restes mon fils et toi, Isabelle, ma belle-fille. Ma seule défense, c'est que tu n'auras jamais été témoin de mes hurlements de douleur dans la maison quand ta mère est partie. C'est la raison pour laquelle j'ai décidé de m'en séparer. À l'avenir, j'espère que vous ne serez jamais confrontés à ces instants de douleur. Profitez bien de votre bonheur. »

Je sais que j'ai raison ; en même temps, je suis cruel, je leur prédis leur chagrin futur. Personne n'y échappe.

Je me dirige vers la sortie. Jonathan y est toujours, adossé au mur, avec le livre que j'étais si heureux de lui offrir. Isabelle a entendu l'échange entre Jonathan et moi. Elle n'est pas intervenue. Je suis tout près de la porte. Jonathan se déplace légèrement et l'ouvre. Il me laisse passer. Ce n'est pas le moment de l'embrasser. J'appelle l'ascenseur... de tous mes vœux! Jonathan est resté devant la porte. Au moment où l'ascenseur s'arrête à l'étage, j'ouvre la grille et il accourt.

« Tiens, reprends ton livre, tu en feras cadeau à ta chérie! Et oublie mon téléphone!»

Il me colle le livre sur la poitrine. Je referme la grille, appuie sur le bouton du rez-de-chaussée. La voix forte de Jonathan résonne encore :

« Au fait, ta chérie, elle s'appelle comment? Tu nous l'as pas dit.»

Cette soirée ratée, c'est ma faute. Je n'aurais pas dû venir à l'improviste. J'aurais dû proposer : «Allô? C'est bientôt ton anniversaire, Jonathan, est-ce que je peux...»

Non. Trop tard... Je donnerai le livre à Muriel... si je la revois. Je sors de l'ascenseur. Vite, dehors, vite. Que j'oublie ces moments douloureux! L'avenue est bien éclairée. Il est 20 heures. Le fleuriste est encore ouvert. Je le hais, lui et ses fleurs. C'est la première fois que j'assiste à un anniversaire aussi court. J'exagère : il n'a même pas commencé.

Et, maintenant, je vais faire quoi? Je me sens ridicule avec ce sac qui frappe ma jambe droite toutes les deux secondes. Je marche droit devant moi, en compagnie de Kirsten, toujours à mon secours, qui me souffle d'appeler Muriel, de ne pas rester seul, sur un échec, surtout ce soir où j'ai besoin de parler, de raconter ce qui m'est arrivé, de dire ce qui me fait mal. Et elle? Elle aussi a peut-être envie de parler, de se raconter. À 20 heures, sa réunion doit être terminée. Je lui envoie un SMS :

Bonsoir Muriel, Jonathan m'a fait un beau cadeau pour son anniversaire, il m'a presque foutu à la porte... et m'a demandé d'oublier son numéro de téléphone. Appelle-moi si tu peux, s'il te plaît, je suis désemparé.

SMS distribué. La réponse de Muriel ne se fait pas attendre :
Viens à La Rotonde, ma réunion se termine dans dix minutes. J'y serai...
Assommé je suis. Je déambule dans la rue, ivre mort de mots, d'images de la jeunesse de Jonathan, si gentil, si drôle, si... Qu'ai-je fait ? Que *lui* ai-je fait ? Qu'est-ce que j'ai raté ? Kirsten et moi, qu'avons-nous raté dans son éducation ? Non, enlève le prénom de Kirsten. Elle n'est coupable de rien. Elle a tout fait pour moi, pour Jonathan et Isabelle, tout fait pour qu'eux deux s'installent dans leur appartement. Il doit y avoir une erreur judiciaire. Je vais faire appel aux bons sentiments, en votre âme et conscience, et poser trois questions fondamentales, essentielles, j'ai du vocabulaire, moi, messieurs, j'ai raté mon bac, moi, je ne suis pas comme certains. Première question : n'ai-je pas aimé mon fils d'un amour paternel absolu ? Deuxièmement : ne l'ai-je pas protégé, soutenu et consolé en sa période d'adolescence, quand il en avait besoin ? Son premier chagrin d'amour, à qui l'a-t-il confié ? À qui, hein ? À moi... Je lui ai murmuré des paroles d'espoir, comme sa maman qui devinait si bien les choses. Tout cela pour... pour voir déambuler un vieil homme – je ressemble à ça depuis que Jonathan m'a viré de chez lui. J'ai pris dix ans en quelques minutes ! Au fait, j'ai quel âge maintenant ? Cinquante-cinq ? Non, soixante. Et Muriel, quel âge peut-elle bien avoir ? Quand je lui dirai le mien, même si elle le connaît déjà, elle me dira le sien. Le plus important, c'est de la retrouver à La Rotonde. Il me faut un lieu où il y a des fleurs, plein de fleurs, des orchidées, plein d'orchidées à lui offrir. Merde ! Plus de fleuristes à cette heure... Demain, je fais intervenir Interflora, promis. Je ralentis le pas afin de ne pas paraître essoufflé ; Kirsten me demande de me calmer. Elle a raison, elle a toujours raison. Pourquoi son absence, pourquoi ? Elle était

si présente. Si j'étais très riche, je m'offrirais un « solitaire ». Le mot me va très bien, me fait sourire et m'aide à traverser la rue.

Enfin, j'aperçois les lumières de La Rotonde. Je m'empresse d'entrer sans prendre garde à un maître d'hôtel qui me lance :

« Monsieur... avez-vous réservé ?

— C'est fait. Je suis attendu. La dame, là-bas... »

Muriel m'attend, lisant des notes prises durant sa réunion sans doute... Elle lève la tête, je me penche pour l'embrasser. Je m'assieds en face d'elle avec mon sac et le livre.

« Donne-moi ton sac, je le mets à côté de moi... Alors, qu'est-ce qu'il se passe ?

— Rien de grave, enfin si... Je me suis fâché avec Jonathan. »

J'essaie de contenir mon trouble, le cacher, mais ça ne passe pas...

« Remets-toi. Tu veux qu'on dîne ?

— Si tu veux, mais c'est moi qui t'invite.

— Tu l'as déjà fait l'autre fois...

— Peut-être, mais je vais t'avouer quelque chose : je ne peux pas supporter qu'une femme m'invite à déjeuner ou à dîner... J'ai honte.

— Oh, tu sais, il y a des choses plus honteuses que les hommes font ! Allez, tu es mon invité... »

Je n'insiste pas.

Je vais me calmer pendant le repas, du moins j'espère... Un serveur arrive avec le traditionnel :

« Ces messieurs dames prendront-ils un apéritif ?

— Pas pour moi, j'ai déjà pris un jus de tomates.

— Bien. Et monsieur ?

— De l'eau plate.

— Très bien. Je vous apporte la carte... »

Je suis content d'être face à Muriel mais je sais aussi que je ne raconterai pas tout ce que Jonathan a dit à son sujet. Nous nous regardons, regardons de chaque côté. Je me lance :

« Je ne m'attendais pas à ce qui est arrivé. Je suis lessivé, sans énergie, comme une bougie qui va s'éteindre... Je cherche une image, tu comprends, comme un soleil couchant qui sait qu'il ne se relèvera plus, tu vois ?

— Oui. Tu t'es disputé avec ton fils mais ça ne durera pas, vous allez vous réconcilier un jour ou l'autre, non ? Il va le regretter, il le regrette peut-être déjà... Vous vous êtes disputés pour quelle raison, si ce n'est pas indiscret ? Si ça l'est, ne réponds pas... »

La question n'obtiendra pas de réponse ce soir. Je vais mentir puisque je ne prononcerai pas le mot « chérie », que Jonathan m'a envoyé au visage. Ne rien raconter, ou raconter autre chose pour épargner Muriel. Elle ne mérite pas d'être mêlée à ce conflit familial.

Le serveur nous présente la carte et s'éloigne. Choisir me permet de réfléchir, d'imposer un filtre sur les phrases que je vais prononcer dès que je me serai décidé. Chacun de nous, en silence, lit consciencieusement ce qui est proposé... Enfin, pas moi, je suis ailleurs.

Le serveur est de retour, trop vite à mon goût. Au moment où je parviens à presque trouver la fin de ma phrase. Je triche :

« Tu as choisi, Muriel ?

— J'hésite... foie de veau ou coquilles Saint-Jacques. »

Le serveur intervient :

« Les coquilles Saint-Jacques sont excellentes, madame, je vous les garantis... Et le foie de veau est très frais.

— Alors je prendrai des coquilles Saint-Jacques.

— Très bien. Et pour monsieur ?

— Une sole meunière. Merci ! »

— Comme accompagnement, nous proposons des épinards, des pommes sautées, ou du riz.

— Du riz, demande Muriel.

— Pour moi, des épinards... »

Le serveur est toujours debout.

« Et comme hors-d'œuvre ?

— Rien pour moi.

— Et pour monsieur ?

— Rien pour moi non plus. Merci.

— Et pour les desserts ? (Il insiste.)

— On verra plus tard, dis-je. Merci, monsieur.

— Je vous apporte la carte des vins...

— Tu prends un peu de vin, Muriel ?

— Non merci, pas pour moi. Toi, prends ce que tu veux.

— De l'eau, nous prendrons de l'eau.

— Plate ou gazeuse ?

— Tu préfères plate ou gazeuse, Muriel ?

— Je veux bien de l'eau plate, merci. »

Je voudrais tant ne pas parler légumes, navets, carottes, pommes de terre, riz, épinards. Ou coquilles Saint-Jacques et sole meunière. L'eau plate, l'eau gazeuse, tout ce que je demande c'est qu'elle soit propre. Rien de ce que je pense n'est dirigé contre Muriel, mais toutes ces demandes du serveur m'éprouvent. Heureusement, il disparaît. Le restaurant est une belle invention, me dis-je, il faudrait juste apporter son repas, entrée-plat-dessert, avant d'y entrer. Muriel attend que je lui explique la raison de ma dispute avec Jonathan. Le mot « chérie », lui, n'a cessé de m'obséder, repartir, revenir dans ma tête durant toute ma simulation de lecture du menu. Curieux comment un adjectif, un substantif, peuvent changer de sens, et même avoir un contresens lorsqu'ils sont dits dans un contexte particulier. Trop fort pour moi ! Muriel me regarde, je la regarde... Je vais parler, j'y suis obligé.

«Voilà... ce soir, c'est l'anniversaire de Jonathan, comme tu sais. Je suis allé chez eux, simplement, sans prévenir. Pourquoi? J'étais sans nouvelles. Pas un coup de téléphone. Rien. Ils ne m'ont pas invité. J'ai attendu jusqu'au dernier jour. Toujours rien. Alors, après que tu m'as quitté pour aller à ta réunion, je me suis décidé à aller voir ce qui se tramait. Bref, je me suis invité en pensant sincèrement que les choses allaient s'arranger. J'ai même acheté un cadeau pour Jonathan et une orchidée pour Isabelle. Jonathan m'a très mal accueilli. J'ai donné la fleur à Isabelle. Lui a refusé mon cadeau. Avant de reprendre l'ascenseur et de fermer la grille, il me l'a collé sur la poitrine. Là, j'ai compris que je n'étais plus le bienvenu.»

Je ne peux pas dire à Muriel la façon dont il a dit «ta chérie», ni «au fait comment s'appelle-t-elle?», et encore moins «tiens, reprends ton livre, tu le donneras à ta chérie».

Le serveur apporte les coquilles Saint-Jacques. Muriel commence à les déguster, sans réagir à mon récit. Je suis incapable de lui répéter ce que Jonathan a dit à son sujet. Un blocage du larynx. Les mots ne sortent pas. Je suis victime d'une aphasie générale devant la sole meunière que l'on vient de me servir.

«Vous me la préparez?

— Bien sûr, monsieur.»

Le serveur s'active à la table d'à côté.

«D'après ce que tu me dis, tout cela a été violent. Vous êtes violents dans votre famille?

— Euh... Oui et non. On ne se voit plus depuis de nombreuses années à cause de moi, de mes origines. On l'a été, violents. Pas moi mais mes oncles et tantes. Pour l'une de mes tantes, ma mère était hystérique. Je l'ai vue se rouler par terre sous la table, parce qu'un jour elle ne voulait pas aller au cinéma... ce qui expliquerait cette hystérie qui perdure dans ma famille maternelle. En ce qui me concerne, je suis nerveux, certes, mais pas hystérique, je ne le crois pas, non. Et puis il y a eu des croisements... Chez Kirsten, pas d'hystérie. Kirsten, moi, Jonathan, on est plutôt normaux... Et puis, tu sais, le fait de piquer des crises de nerfs ne signifie pas que l'on est hystérique, dangereux ou bon à enfermer... "Hystérique" est très galvaudé à notre époque, tu ne trouves pas ? Je ne suis pas médecin, c'est tout ce que je peux dire à ce sujet. C'est-à-dire pas grand-chose. Elles sont bonnes tes coquilles ?

— Très bonnes. Et ta sole ?

— Ça va... Je n'ai pas grand appétit... Parle-moi de toi. Qu'est-ce que tu as fait tout le temps où je ne t'ai pas rencontrée, où je ne t'ai pas vue, où je ne t'ai pas entendue ?... »

Elle m'interrompt :

« Oh, tu sais, je ne suis pas une causeuse. J'ai passé ma vie à travailler ou à chercher du travail, c'est tout...

— Tu as des enfants ?

— Non.

— Excuse-moi... Tu es mariée ?

— Non. Je vis seule... Depuis trois ans.

— C'est dur d'être seule, non ? Pour une femme ou pour un homme. Pour un homme, je le sais, enfin depuis peu, mais je le sais...

— Oui.

— Et si je peux me permettre... Tu ne t'es jamais mariée ?

— Non, jamais. Je n'ai jamais voulu, je te l'ai dit.

— Ah oui, tu m'as parlé de tes prétendants. Mais... pourquoi nous voyons-nous, là, tous les deux ? Moi, je sais pourquoi, parce que tu me tends la main, mais toi ?

— Je vais te le dire. Quand, à la production, le directeur nous a annoncé que tu venais de perdre ta femme, j'ai ressenti comme un coup de poignard au cœur, comme lorsqu'on m'a annoncé la mort de ma sœur, et ma première pensée a été pour toi : comment va-t-il faire ? »

Comment résister à ses paroles ? Je lui prends la main, la porte à mes lèvres et l'embrasse deux secondes... Nous cessons de parler. Sans nous regarder, un peu gênés à cause du baiser. Le silence ne doit pas durer longtemps. Cinq secondes et je continue la conversation :

« Tu as beaucoup voyagé dans ton métier ?

— Non. J'ai travaillé surtout en France, en province... Et toi ? Tu as dû voir beaucoup de pays. J'ai lu ta filmographie. Maroc, Tahiti, Portugal, Yémen...

— Oui. Je te montrerai des photos un jour si tu veux... »

Dans mon dos, la voix du serveur propose les desserts :

« Tarte Tatin, crème brûlée, mille-feuille, salade de fruits, café gourmand... »

Muriel demande une salade de fruits. Très vite, j'enchaîne, comme dans une salle des ventes :

« Un café gourmand !... Et l'addition, s'il vous plaît ! »

Je reprends :

« Dans mon métier, j'ai eu de la chance. D'autres en ont eu moins que moi. D'autres plus... »

Le con ressurgit en moi et termine ma phrase par :

« C'est la vie. »

Pour finir par dire :

« C'est le *struggle for life* ! »

Elle parle certainement anglais, Muriel. Pas besoin de traduction. Ce doit être une expression trop facile pour elle.

J'évoque à nouveau mes voyages :

« Je suis allé aussi en Espagne, il y a peu de temps...

— Tu n'y étais jamais allé auparavant ?

— Non, malgré l'amour que j'ai pour ce pays. Avec Kirsten, quand Jonathan était enfant puis adolescent, nous partions chaque été en Suède voir ses parents, en juillet ou en août, selon mon travail. Et toi ? Tes vacances se passaient de quelle manière ?

— Ça dépendait des films proposés. Ça a pu être Nantes, Béziers, Nancy, Saumur, ou Mazé, tu connais ? On a tourné là-bas *Les Petits Ruisseaux*, tu t'en souviens ? Tu ne peux pas te souvenir de moi, tu ne m'as pas vue sur le tournage. Je faisais l'administration à Paris. Le producteur n'avait pas beaucoup de moyens. C'était un beau film, et pour toi... prémonitoire.

— Tu ne partais jamais en vacances ?

— Pour quoi faire ? J'étais très souvent seule. Partir seule au soleil sur une plage, allongée sur une serviette de bain, non. Je me faisais engager par une production. Peu importait le film.

— Je comprends. Tu es allée en Espagne, je suppose...

— Oui, souvent avec ma sœur et mon beau-frère. On a visité Cordoue, Tolède, Barcelone... J'ai même assisté à une corrida. »

La salade de fruits et le café gourmand sont annoncés, suivis de l'addition. Dans trois secondes, je pose une question fondamentale pour moi :

« Et Jaén, tu es allée à Jaén ? Tu connais Jaén ? »

Le délire s'empare de moi.

« Je vais te raconter Jaén. J'arrive là-bas et loue une voiture. Je suis à la recherche de décors pour un projet de film afin d'exorciser mon chagrin, montrer comment un homme public peut rendre hommage à son épouse, sa compagne pendant quarante-trois ans. Je prends l'auto-route et je roule deux cents kilomètres au sud de Madrid, sur les conseils de l'attaché culturel français qui m'a dit : "Il faut que tu voies les arènes de Las Virtudes. Tu roules

pendant deux cents kilomètres et tu sors à Valdepeñas. Les
arènes sont indiquées. Tu ne le regretteras pas." Je sors à
Valdepeñas. Je roule encore et j'atteins les arènes de Las
Virtudes... Mon récit ne te semble pas trop long, Muriel ?
— Pas du tout. Ça m'intéresse beaucoup. »
À cet instant, je dois faire une pause. Je parle trop, je
m'emballe. J'aurais dû me contrôler. Au fond de moi, je m'en
veux. Muriel a vu tout cela, je le pressens. Je dois redescendre sur terre.
« C'est passionnant ce que tu racontes. Je t'écoute.
— Tu es sûre que je ne t'ennuie pas ?
— Je t'en prie, continue...
— Avant de te parler de ce qui s'est passé à Las
Virtudes, je repense à un exemple de bonté, de généro-
sité. Affaibli par un spectacle que je fais chaque soir dans
un cabaret, un numéro "farfelu" qui déclenche parfois
l'hilarité avec des chansons incohérentes (mais provoque
aussi un bide retentissant), le tabac des clients qui fument
comme des locomotives irrite ma gorge. J'ai de temps
en temps des angines douloureuses. Un ami, qui chante
également, a remarqué que j'allais mal. Seulement, je
dois chanter coûte que coûte. L'argent se fait rare, j'en ai
besoin, Jonathan est encore un bébé. Jean, mon ami, me
propose la chose suivante : "Venez tous les trois dans ma
maison vous reposer huit jours. Vous serez tranquilles
dans la journée. Le soir, après mon tour de chant, on dînera
ensemble, d'accord ?" Nous acceptons, Kirsten et moi. Un
soir, alors que nous attendons le retour de Jean, nous regardons la télévision. L'Espagne se rappelle à nouveau à moi.
Le film projeté est une adaptation du roman de Bernard
Clavel, *L'Espagnol*. Je me souviens encore de l'acteur qui
jouait le rôle principal, Jean-Claude Rolland. Tu te rends
compte ? L'Espagne ne m'avait pas oublié. Retrouvé. Elle
m'avait retrouvé !

— Oui, c'est troublant. Peut-être qu'inconsciemment tu recherches quelque chose à travers l'Espagne, non ?

— Possible. Un jour, si tu le veux, je te raconterai l'histoire de Paco et Rosita, si ça t'intéresse...

— Bien sûr...

— Pas ce soir, il se fait tard. Laisse-moi juste te raconter ce qui s'est passé à Las Virtudes... Donc, je roule, entouré de milliers d'oliviers à perte de vue, et visite enfin ces arènes de Las Virtudes toutes peintes en rouge vif, de mémoire, avec ce sable jaune. Ce sont les plus anciennes arènes d'Espagne. Un petit homme âgé, coiffé d'une casquette, surgit d'une maison voisine, ce doit être son habitation, et me propose de me servir de guide. Je le suis. Il me montre parfois des endroits dont je comprends très vite à quoi ils servaient : des box, des barrières. J'imagine tous les taureaux qui sont passés par là... Je fais le tour du lieu et je donne à la fin un pourboire à ce monsieur. L'arène est vide. Aucun taureau, aucun cheval, aucun employé, sauf ce vieil homme. Le lieu est utilisé et ouvert pour des fêtes, des événements exceptionnels, des célébrations. L'idée me vient de me placer au milieu de l'arène. Je suis le seul visiteur, les gradins sont vides, il doit être 11 heures du matin. Tout à coup, je ressens l'urgence des mots qui tournent dans ma tête depuis un moment et je commence à réciter, devant le petit homme étonné, dans un silence absolu, au milieu de l'arène, le poème de Federico García Lorca "À cinq heures du soir", comme exalté ; je suis tout à la fois, Muriel ; je communie avec Federico, avec l'arène, le public absent. Je ne suis plus moi-même à ce moment-là, tu comprends ?

— Oui, je comprends. Tu as fantasmé et, avec tes efforts, ton rêve se réalise à moitié, c'est ça ?

— Oui. Jamais je n'aurais imaginé accomplir un tel geste, jamais ! Une nuit, tu rêveras de ce que je viens de te raconter, Muriel. En te réveillant, tu te diras « j'y étais »...

C'est ça, Jaén, pour moi. (Un silence.) Tiens, je t'offre le livre. Tu liras d'où je viens, si tu veux. Comme ça, tu me connaîtras mieux.»

Le serveur demande :

«Terminé, messieurs dames ? Puis-je débarrasser ?»

J'acquiesce.

«Puis-je défaire les rubans ?» lui demandé-je.

Le livre apparaît avec une photo magnifique de la montagne du Djurdjura, en Kabylie. Une photo prise de nuit ou presque ; on aperçoit de très loin comme des petites taches de lumière à l'intérieur des maisons, qui serpentent dans les villages de la montagne, des villages du nom de Tifilkout, Taghzout, Iferhounène... Muriel ouvre délicatement le livre et demande :

«Tu me le dédicaces ?

— Je ne te fais pas attendre une minute de plus.»

Je sors mon stylo de la poche de mon blouson. Ma main droite hésite.

«Excuse-moi, Muriel, j'ai peut-être été trop bavard. J'avais besoin de parler, de te parler après cette dispute avec Jonathan.»

Qu'est-ce que je vais lui écrire ? «À Muriel» ? Non, elle n'aime pas son prénom. J'essaie de prendre ma plus belle plume :

À *toi, qui n'aimes pas ton prénom, je laisse un espace. Quand tu en choisiras un que tu aimeras, je voudrais être le premier* à *l'écrire. Parce que tu m'as tendu la main. Remember.*

Je regarde ma montre.

«1 h 15. Tu veux rentrer ?

— Je veux bien. Je dois livrer des logiciels à Fontenay-sous-Bois pour le tournage qui commence demain.»

Elle se lève, remet sa veste à fleurs, celle que j'aime ; je recule la table afin qu'elle puisse passer sans effort ; elle prend le sac qui contient le livre de Jonathan désormais dédicacé. Une pointe d'angoisse me parcourt. Nous nous apprêtons à sortir.

La dédicace ne me satisfait pas. Avant la sortie du restaurant, juste à la table d'entrée vide de clients, je m'arrête et lui dis:

« Attends, je vais t'en écrire une deuxième. Une plus belle...»

Elle me tend le livre. «À Muriel», ça me semble très ordinaire, commun. «Pour toi, Muriel...», c'est un peu mieux, c'est ciblé, nominatif. Non, c'est con. Comme elle n'aime pas son prénom, je peux lui écrire: «À toi», avec un grand espace après. L'inspiration me vient:

Quand tu choisiras le prénom qui te plaira et que tu aimeras, alors je l'aimerai comme je t'aimerai, et je te dédicacerai ce livre, car tu m'as tendu la main, ce que je n'oublierai jamais. De tout cœur, Daniel.

Je lui rends le livre, elle lit ce que j'ai écrit... et fond en larmes. Je suis désemparé. Elle cherche un mouchoir en papier dans son sac à main, se mouche, essuie ses yeux..., me regarde et sanglote à nouveau. Je ne bouge pas, saisis sa main. Son émotion se calme un peu. Elle ose à peine me regarder, et me dit à voix basse, presque pour elle-même:

« Excuse-moi, Daniel, je n'ai jamais su recevoir un cadeau, tu comprends?»

À travers cette phrase, c'est toute sa vie qui passe devant elle, une vie qui a dû connaître bien des douleurs. Je ne poserai aucune question. Je regrette juste de l'avoir fait pleurer. Elle referme le livre. Si Jonathan savait que son cadeau est devenu la propriété de ma «chérie», quelle serait sa réaction?

« Alors, comme ça, tu lui as donné ce livre qui est à moi, qui m'appartient? Tu as osé? Tu te rends compte de ce que tu fais? Tu perds la tête, papa! Je vais te faire enfermer! Tu es sénile! T'as intérêt à avoir une bonne mutuelle!

Je vais me renseigner pour te faire enfermer! Ta "chérie" viendra te rendre visite une fois par semaine. Nous irons même ensemble, Isabelle, moi... et elle. On fera du covoiturage et, sur la route, on fera connaissance!»

Nous ne pouvons pas terminer la soirée de cette manière. Je cherche un sujet plus léger, une anecdote. Je la trouve. Je lui souris.

« Tu verras, il y a de très belles photos dans cet ouvrage. Oh, je vais te raconter quelque chose de mystérieux, de bizarre, d'étonnant qui m'est arrivé lors de mon voyage en Algérie... Ça ne t'ennuie pas ?

— Non, pas du tout. Excuse-moi pour tout à l'heure... Je t'écoute, pardon... »

Nous nous tenons assis sous l'œil bienveillant d'un serveur qui doit penser : « Ces deux-là, ils ont du mal à se séparer... »

« J'ai un ami franco-algérien qui travaille comme chauffeur de taxi à Paris. Je le connais depuis l'âge de dix-huit ans, il s'appelle Kader Challal. Nous nous voyons souvent. Chaque année, il part en Algérie à la période des vacances, avec sa femme et ses trois enfants. En revenant, quand je le revois au marché ou dans un magasin, il me raconte son voyage. L'année où je suis parti au bled retrouver les miens, mon cousin qui s'appelle aussi Kader nous propose de faire une excursion, Kirsten, Jonathan et moi ainsi que Boujma au mont Azrou n'Thour. C'est un lieu saint, en haut de la montagne. Nous partons en voiture sur une petite route qui, quelque temps plus tard, devient à peine visible. Nous devons cesser de rouler et laisser le véhicule sur une petite plate-forme. Mon cousin Kader nous invite à monter les derniers deux cents mètres à pied sur un petit chemin escarpé. Il doit être aux environs de midi. Le soleil est au plus haut ; nous suons tous à grosses gouttes et devons faire preuve d'un peu de courage. Devant nous se dresse une cabane, ou plutôt un refuge. Il suffit de pousser la porte qui n'a ni serrure, ni verrou, ni cadenas. Les murs du refuge sont peints en blanc – et que vois-je, face à moi ? Sur l'un d'entre eux, écrit en grosses lettres, à la bombe, en noir, le nom de mon ami : CHALLAL. Tu te rends compte ? Challal. Jamais je n'aurais pensé lire le nom de mon ami parisien là-bas. C'était comme s'il me souhaitait la bienvenue au bled ! J'ai pris des photos avec mes cousins, Kirsten et Jonathan. Je voulais montrer, en revenant à Paris, cette coïncidence mystérieuse. Tu ne trouves pas cela étonnant ?

— Si, dit Muriel, qui semble très attentive, c'est curieux, c'est comme un signe du destin, une bénédiction peut-être...

— Je ne sais pas, je n'irai pas si loin. Mais c'est troublant, non ? Il est 1 h 30. Un autre jour, je te raconterai une histoire étrange d'enfants espagnols, qui s'appelaient Paco et Rosita, le seul souvenir d'enfance heureux et inoubliable. Quand j'étais dans les arènes de Las Virtudes, j'ai eu une pensée pour eux... Tu veux rentrer ?

— Je veux bien. Je dois aller à Fontenay-sous-Bois... »
J'ai oublié le rendez-vous dont elle m'a parlé.

« Au revoir, messieurs dames », fait le voiturier.

Je ne réponds pas. Je suis à nouveau préoccupé par la dédicace.

« Viens, dis-je à Muriel, je vais t'écrire une autre dédicace, une encore, encore plus belle... »

Nous rentrons à nouveau dans le restaurant. Par bonheur, la même table nous attend, fidèle et discrète.

« Déjà de retour !

— Eh oui ! »

Et après, le traditionnel :

« Que désirez-vous ?

— Tu veux quoi, Muriel ?

— Un tilleul-menthe...
— Et pour monsieur ?
— Une eau minérale.
— Donne-moi ton livre. »
Quel que soit notre avenir
Je me souviendrai de ton sourire.
Peut-être nous reverrons-nous
Après tout ?
Je termine la dédicace et Muriel murmure :
« Pourquoi on ne se reverrait pas ? Allez, partons.
Viens. Je dois rentrer, excuse-moi. »
Je règle largement les nouvelles consommations.
Un taxi nous attend.
« Bonsoir, nous allons rue de Passy... »
Je ne sais pas quelle station de radio le chauffeur
écoute, mais ça balance. Je la balancerais bien aussi tant le
son est fort.
À 1 h 30 du matin, je ne fais aucune réflexion, de peur
qu'il me dise : « Si c'est trop fort, changez de taxi. »
Notre silence reste pacifique, non violent, bouddhiste
même, et ce jusqu'à la fin de la course.
« Arrêtez-nous là. »
Nous sommes arrivés devant l'immeuble de Muriel.
Nous descendons sans avoir échangé une seule parole avec
le chauffeur, aucune. Muriel et moi sommes restés muets
pendant le trajet. Aucun merci ni de la part du chauffeur
ni de la mienne.
Nous faisons quelques pas sans nous tenir la main.
Me vient une idée.
« Tu te souviens, Muriel, d'un film où un homme
demandait quelque chose à une jeune femme qui semblait
avoir eu une déception affective dont elle ne s'était pas
remise ?
— Ah oui, dit Muriel, je crois que tu m'en as parlé...

— L'homme suggérait timidement : "Et si je vous demandais de vous embrasser ?" Et la jeune femme répondait : "Je vous demanderais de ne pas le faire." Tu m'avais fait remarquer que ce n'était peut-être pas le moment, que c'était peut-être trop tôt...

— Oui, je m'en souviens...

— Et maintenant, toi, Muriel, tu répondrais quoi ?

— Eh bien... que... c'est le moment... »

Nos visages se rapprochent. Nous nous séparons très vite.

Après plusieurs « À demain !... Oui, à demain !... Tu m'appelles ?... Non, c'est toi qui m'appelles ! », elle disparaît sous le porche.

Le mouvement de la vie

À partir de ce soir-là, Muriel devient une inquiétude supplémentaire. Je marche dans la nuit. Je ne suis pas seul. Jonathan m'accompagne dans ma tête en feu. Ce n'est pas lui qui l'éteindra, j'en ai conscience. Je repense à tout ce que j'ai raconté : la Kabylie, Jaén, mon ami Jean qui nous a hébergés, qui a connu Jonathan bébé, si amical, qui s'intéressait à l'apiculture et nous donnait du miel de sa récolte ; lui dont la maison était tout près de la nôtre à la campagne.

Que va-t-il se passer à présent ? De quoi est fait l'avenir ? Sera-t-il fait de ce que j'aime ? Tais-toi, écoute le bruit de tes pas, le son des voitures, allez, plus vite, rentre chez toi. Patoche t'attend, couchée sur le canapé. Tu n'as pas beaucoup pensé à elle aujourd'hui. Elle va te faire une de ces fêtes quand tu ouvriras la porte ! Cajole-la, elle le mérite. C'est bien, tu arrives, ouvre la porte. Embrasse-la, prends-la dans tes bras, caresse-la, murmure-lui à l'oreille le prénom de celle avec laquelle tu as passé la soirée, à laquelle tu ne cesses de penser. Ne crains rien. Seule une chienne peut garder un secret. Aie confiance. Elle ne te trahira pas. D'ailleurs toi non plus, tu n'as trahi personne. Jonathan envahit à nouveau mon esprit. Je n'ai plus envie de

combattre ; je n'irai pas au conflit. Je cherche une paix intérieure, que je ne trouverai probablement jamais. J'ai besoin
d'un *no man's land* avec des dialogues de paix de chaque côté
des frontières, celles de Jonathan et les miennes. Je veux
oublier les mots injustes, les provocations qui n'apportent
que du malheur.

Je tourne autour de ma table, dis n'importe quoi
à voix haute. Patoche me suit. Elle voudrait bien que je lui
raconte ma soirée. Elle serait heureuse si je lui disais que je
le suis également. Je la prends dans mes bras ; elle n'est pas
si lourde. Et je la pose près de moi, sur le canapé. J'allume la
télé. La voix de la jeune femme de la météo, je m'en fous, je
coupe le son. Je regarde la carte des précipitations atmosphé-
riques. Il fera soleil toute la semaine (sauf jeudi et vendredi),
avec des pointes de température allant jusqu'à vingt-quatre
degrés. À Londres, vingt-deux, à Madrid, vingt-sept degrés...
chez Paco et Rosita... Stop ! J'éteins la télé. Je délire. Je suis
très fatigué. Je m'allonge et m'endors en mélangeant les
images de Las Virtudes avec celles de Jonathan, Isabelle,
Kirsten... et qui ? Qui... Muriel, je crois, Muriel dans l'ascenseur, qui pleure en recevant son cadeau, c'est un livre de
poèmes de Baudelaire, de Baudelaire ? Je ne distingue plus le
titre... Que lui ai-je offert ? Était-ce à elle ? À Jonathan ? Les
livres, comme les ascenseurs, ils changent de propriétaire et...

Cette nuit, j'ai encore dormi sur le canapé et, cette
fois, profondément. Au réveil, je m'en veux, comme si j'avais
commis une infidélité. Je me comporte comme un vrai nul.
Un type nul avec des idées de nul. La définition d'un nul
n'existe pas. On est nul par tradition, c'est tout. Un nul ne
s'explique pas. Il souffre de sa nullité, comme moi. Bon.
8 h 30 du matin et une question : que vais-je faire de ma
journée ? J'ai peine à ajouter : sans Kirsten, sans Muriel.
Et sans Jonathan. Je vais lire un scénario débile, avec des

dialogues imbéciles, bref une histoire de crétins. Normal de recevoir ça pour un nul professionnel. Quelque chose cependant se passe au fond de moi.

Cette rencontre avec Muriel me trouble. J'ai l'impression que ça diminue ma nullité. Ce n'est peut-être qu'une impression? Pourquoi? Parce qu'elle a pleuré. Moi aussi, souvent j'ai pleuré et je pleurerai souvent encore. Je lui ai révélé des secrets pour la première fois de ma vie. Non pas que je ne souhaitais pas les révéler à Kirsten, mais cela ne m'est pas venu à l'esprit, c'est tout. Je veux sortir au plus vite, rejoindre Muriel, n'importe où, l'appeler. Kirsten me souffle d'attendre. Il est trop tôt, elle doit être en route pour Fontenay-aux-Roses... Non: « sous-Bois ». Je ne sais plus : Roses ou Bois?

Je prends une douche, me rase doucement, de peur de me couper, de saigner et que Muriel remarque cette légère blessure. Je descends le linge de la veille en bas dans la buanderie. La machine à laver est déjà pleine, mais où est le mode d'emploi? Je n'ai pas encore de réponse, je m'en fous, ce n'est pas le plus important. Je m'habille, je suis habillé, chemise noire, je la déplie mais... non, pas celle-là, elle ne plaît pas à Kirsten, c'est un mauvais souvenir pour elle, je l'ai mise en sortant de la clinique où, il y a quelques années, je me suis fait opérer *in extremis* d'une thrombose de l'aorte ; elle me l'a achetée parce que le col était plus haut que les autres pour cacher un peu ma cicatrice. Une chemise blanche, c'est parfait ; un jean noir, pas de gilet. Il va faire combien ? Entre vingt-deux et vingt-six degrés. Je mets ma veste beige, ne pas oublier de prendre mon portefeuille dans le blouson d'hier. Demain, j'irai chez le coiffeur. Aujourd'hui, je conserve la même coiffure qu'hier, sinon la transition serait trop brutale ! Muriel ne retrouverait pas la même personne. J'emmène Patoche. Je ne sais pas à quelle heure je rentrerai.

« Patoche, viens, papa te donne des croquettes, viens... »

Pendant qu'elle mange, je vais voir s'il y a du courrier. Une lettre m'intrigue. En remontant les marches du perron, j'ouvre la lettre nerveusement avec mon index. Je lis :

Agence Merflex, à l'attention de monsieur... Je vous informe que mon client M. Berlet a accepté votre offre de... Pourriez-vous nous contacter à l'Agence afin que nous puissions prendre rendez-vous... Par mail si possible...

Oui, j'accepte tout. Si la vente de la maison peut se faire aujourd'hui, je dirai... Je dirai non, car je veux voir Muriel ! La lecture du scénario débile attendra aussi. Je vais appeler Muriel. Elle guette peut-être mon appel...

Patoche est inquiète et me regarde.

« Viens, on s'en va. Où ? Je ne sais pas mais on s'en va ! »

Il est 10 heures. J'appelle Muriel de la voiture, prêt à partir.

« Allô, Muriel ? C'est moi... »

Je n'ai même pas dit mon prénom, c'est un exemple de nullité flagrante et parfaite.

« Je t'ai reconnu.

— Je te dérange ?

— Non, pas du tout.

— Je voulais venir te voir mais j'ai oublié le nom de la ville où tu es, c'est Fontenay-aux-Roses ou Fontenay-sous-Bois ?

— Sous-Bois.

— Ça m'arrange !

— Pourquoi ?

— Parce que je ne connais ni l'un ni l'autre. »

J'éclate de rire. Je ne sais pas si c'est si drôle que ça, mais je crois que c'est la première fois que je ris en parlant à Muriel.

« Tu es en forme ce matin, dis donc !

— Oui. Je me suis dit que je viendrais bien te dire bonjour à l'heure où tu déjeunes, mais je ne sais pas où tu travailles.

— C'est facile à trouver, c'est dans la ZUP de Fontenay-sous-Bois, rue Danielle-Casanova. Tu verras les camions et les caravanes des acteurs et celles de la production. C'est là où je suis. Je n'aurai pas beaucoup de temps à te consacrer mais, si tu veux, passe, bien sûr. Je ne pourrai pas déjeuner aujourd'hui avec toi, hélas. C'est le premier jour et on doit s'organiser. Mais on se verra... »

Bon. J'encaisse. Je conjugue dans ma pauvre tête ce verbe « encaisser » avant de prendre congé de Muriel pour ne pas la déranger : j'encaisse, tu encaisses, il ou elle encaisse, nous encaissons, vous encaissez, ils ou elles encaissent. À vrai dire, il faut rester sur : *nous encaissons* ! Nous, c'est « nous deux ». Je finis par lui dire :

« J'ai compris. C'est une erreur de ma part. Tu as beaucoup de travail, je n'ai pensé qu'à moi, c'est mon côté "égoïste". Pardon. Tu ne m'en veux pas, j'espère ?

— Mais non, ne t'inquiète pas. Je t'appelle en fin de journée, d'accord ?

— D'accord ! Alors à tout à l'heure... Promis ?

— Promis ! »

C'est là que ma lourdeur pèse de tout son poids, je me sens obligé d'ajouter :

« À tout à l'heure. »

Je suis incorrigible. Et alors ? J'aurais dû dire : « À toute ! » Ça fait plus moderne, plus jeune. C'est bien maladroit de ma part. Je m'en veux. Je confie à Patoche :

« Tu sais, ma chérie, finalement on va rester là, on sera mieux tous les deux. Je te lirai quelques pages du scénario débile que tu as commencé à grignoter alors que je te l'ai interdit ! »

J'ôte ma veste, sors mon portefeuille, garde toutefois ma chemise blanche... Je n'ai rien à faire, et ne veux rien entreprendre. Ah si ! J'appelle l'agence immobilière.

« Allô ? Agence Merflex...

— Bonjour... J'ai reçu votre lettre concernant la maison que j'ai mise en vente.

— Oui, par sécurité, pouvez-vous me communiquer le numéro du dossier rempli à l'agence ?

— Bien sûr, c'est le numéro : DZ3956.

— Très bien. Vous êtes monsieur... »

Je décline mon identité.

« C'est bien ça. Prénom, Daniel... Ma sœur porte le même prénom que vous. Mais avec deux *l*. C'est ce qui vous distingue. Donc vous êtes d'accord avec la proposition d'offre ? Excusez-nous, nous ne donnons jamais les prix par téléphone. Par mesure de sécurité, vous comprenez ?

— Certainement, à votre place j'en ferais autant.

— Quand désirez-vous voir votre futur acheteur ? Il est très pressé.

— Demain, 10 heures.

— J'essaie de le joindre sur l'autre ligne et vous rappelle. Votre numéro est bien celui inscrit dans votre dossier ?

— Exactement. J'attends votre coup de fil. Merci. »

Nous raccrochons. Dix minutes plus tard, l'agent confirme :

« C'est d'accord, demain à l'agence à 10 heures pour signer la promesse de vente.

— Merci bien, monsieur. À demain. »

Enfin, je vais me débarrasser de la maison. Jonathan pourra me reprocher ça, mais plus tard il comprendra mon geste. Je ne demande pas son pardon, seulement qu'il accepte. Accepter la vente. Accepter Muriel.

Le compromis de vente est signé. La maison est vendue dans deux mois.

C'est malgré tout un choc pour moi. Chaque jour, je fais le tour des pièces, visite le jardin. Je lève les yeux, contemple les Velux posés avant le départ de Kirsten. Je me mets à la recherche d'un garde-meubles dans l'attente d'un appartement moins grand que cette maison pleine de beaux souvenirs. Ces souvenirs, je les emporte avec moi. Personne ne peut me les voler.

La semaine passe. Plus de nouvelles de Jonathan et d'Isabelle. J'avance lentement vers Muriel, pour laquelle j'ai écrit que « j'ai retardé, pour en être digne, toutes mes années et mon chant du cygne ». Elle connaît mes difficultés. Nous en discutons. Parfois elle me dit quelques mots sur son passé...

Au milieu de la deuxième semaine après ma dispute avec mon fils, un appel matinal alors que je me suis endormi sur le canapé. 6 h 30. Je saute sur mon portable...

« Papa, c'est Jonathan... (Il hurle.) Le bébé est né ! C'est un garçon, papa, un garçon ! Isabelle va bien. Elle est fatiguée mais elle va bien. »

Je suis ému, sans voix, mes jambes sont encore molles.

« Viens le voir, papa ! Il est beau, il ressemble à maman. Je crois qu'il a les yeux bleus. Viens cet après-midi... Viens, papa, nous t'attendons, il t'attend ! C'est à la clinique, avenue Kléber. Viens, papa. »

Tous les visages qui ont compté dans ma vie défilent devant moi : Kirsten, Jonathan, Isabelle, mon ami Jean, l'apiculteur, Jean-Louis, mon plus vieux copain de collège, ceux que j'ai perdu de vue, Muriel et sa main tendue, et puis Paco et Rosita, les derniers du cortège de mes souvenirs les plus lointains, les plus chers. Et d'autres encore que j'ai pu oublier.

Peut-être.

Je ne sais plus.

Le verbe « oublier », me dis-je, le verbe « oublier » va de pair avec « pardonner ».

Mais ceci est une autre histoire...

Table